# Así somos los ticos

## Idiosincrasia costarricense

Ensayo

Geovanny "Debrús" Jiménez

2020

Versión para Amazon

Así somos los ticos,

® Geovanny Jiménez Salas (cc Debrús Jiménez)
® Editorial CulturaCR, Setiembre de 2020.
Tel. (506) 8527-2814
Mail: debrusproducciones@gmail.com / editorial@culturacr.net
Segunda edición especial para Amazon Inc.
Primera edición impresa: Editorial CulturaCR, 2018.

# INDICE

## INTRODUCCIÓN

### En busca de lo que somos

Ser costarricense, ser histórico, ser presente, identidad, idiosincrasia, lo que somos y no somos, lo que somos y no hemos podido ser, lo que a todos encantan de los ticos, y lo que todos desprecian de los ticos. Del ser tico y el ser costarricense, del ser nacional y del ser patria. De los hábitos, las costumbres y tradiciones que acompañan al costarricense en cualquier lugar, esté donde esté. Del tico y sus libros preferidos, de los lugares culturales y naturales que le encantan, de su gastronomía y un poco más... En ese terreno se aventura este libro.

Son decenas de escritores y estudiosos de diferentes disciplinas que han intentado comprender lo que identifica al costarricense, la mayoría de ellos han acertado y nos han ido dejando legado y conocimiento importante, que retomamos, actualizamos y le presentamos en este trabajo.

No procura esta investigación dar determinaciones últimas, mucho menos pretender que tiene toda la razón, por eso procuramos hacer un balance entre aquellos aspectos positivos y negativos que acompañan al nacional de Costa Rica. **En usted, amigo lector, está rechazar o asumir lo que se afirma en estas páginas**, en usted está el reto de reconocerse, como costarricense, o de reconocer, como visitante, al costarricense que es o no es, según su criterio.

Popularmente, se ha dicho que **no es lo mismo decir tico que costarricense**, que el adjetivo de "tico" identifica más bien al nacional de Costa Rica chabacano, simplón, vulgar y sin ideales o valores, mientras el costarricense se refiere a una persona comprometida con su patria, su entorno y los valores que conforman al país. En esta obra no hay tal distinción, que nos parece superflua e infundada, **es tan tico un costarricense como un costarricense tico**.

En el mundo e internamente, al costarricense se le distingue como tico por su tendencia a usar expresiones diminutivas, que modifican el sufijo –tito, por –tico (pequeñitico, tontico, bonitico...). Este hábito, precisamente, se ajusta mucho al comportamiento que alude al costarricense como conformista y que tiende a la disminución de sí mismo y de su entorno. Más adelante volvemos al respecto.

Vamos a hacer un recuento sobre **lo que ha sido y lo que es el costarricense**. Y no nos hacemos responsables si en este camino usted se siente mal o molesto, es posible que así sea, porque este ejercicio tiene que decirle lo malo, como lo bueno.

Este libro es un estudio más completo que inició con dos artículos publicados en Culturacr.net sobre los hábitos que todos desprecian y encantan de los costarricenses, textos que fueron leídos desde agosto de 2013 hasta mayo de 2014 por más de 100 mil personas en la Internet. Por esa razón, no dudamos que también a usted le sorprenderá lo pueda encontrar por aquí, sobre todo si usted es un tico orgulloso y naturalmente contento con pertenecer al que llaman "el país más feliz del Mundo".

Asimismo, agregamos aquí algunas preferencias del tico que tienen que ver con los sitios culturales más importantes del país, su gastronomía y otras preferencias culturales.

Empecemos después de este párrafo una exploración, que es también una **aventura de rutas siempre inesperadas**, sobre lo que somos y no somos, sobre nuestros temores, lo que nos indigna, nos gusta y nos lleva acompaña cada día, cuando vamos al trabajo, cuando viajamos hacia afuera y hacia adentro, cuando conversamos y nos

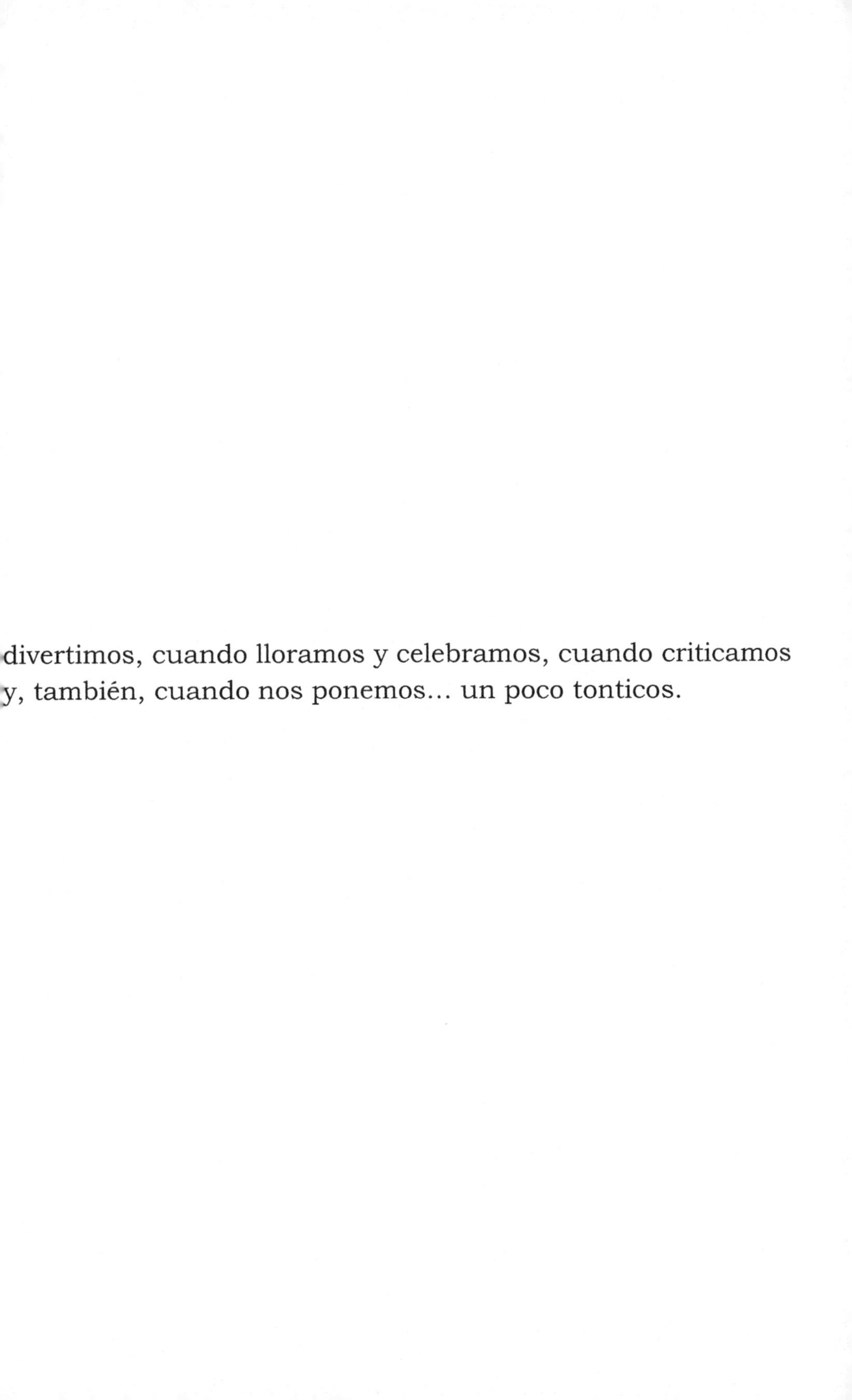

divertimos, cuando lloramos y celebramos, cuando criticamos y, también, cuando nos ponemos... un poco tonticos.

# CAPÍTULO 1
## Del origen del ser costarricense

Costa Rica es un país ístmico, para estudiosos como Isaac Felipe Azofeifa, también una isla. Es un país centroamericano que históricamente –desde la época precolombina- fue puente cultural, puente comercial y puente geográfico. Como puente también fue insular, estuvo enriquecido por diversidad de culturas, de lenguas y de etnias, también de influjos culturales y sus respectivas costumbres.

Es parte de la historia colonial que Costa Rica estuviera aislada de los demás grupos nacionales (Nicaragua, Honduras, El salvador y Guatemala al norte, así como la Gran Colombia al sur), por eso en la vida independiente –así lo sostienen pensadores como Abelardo Bonilla, Isaac Felipe Azofeifa o Pío Víquez- Costa Rica siguió un camino aparte, que le permitió, década tras década, ir conformando una idiosincrasia o identidad cultural, social y política distinta al resto de la América Central (incluyendo luego a Panamá).

A Costa Rica le llega su independencia gratuitamente y no sabe qué hacer con ella, si aliarse a un imperio mexicano, a una federación centroamericana, si seguir bajo el mandato de la Corona Española, o tomarla. Dura más de dos décadas en decidirlo y José María Castro Madriz toma la decisión final de asumirla y empoderarla, cuando ya el país entendía que era diferente al resto, de sus gentes y sus costumbres tenían rasgos distintivos. Así nace la Primera República, que luego se debe defender contra los filibusteros estadounidenses en 1856 al mando de William Walker, y que se reafirma en 1889 con una huelga general ante un evidente fraude electoral.

Esta historia es la de un país que desde la Colonia se consideraba a sí mismo como la Meseta Central, es decir, los territorios que cubren las faldas de los volcanes Poás, Barva, Irazú y Turrialba, entorno a 4 ciudades importantes: Alajuela,

Heredia, San José y Cartago. Cartago era la primera capital, la ciudad histórica, San José sería la actual capital, la del presente. Las 4 ciudades podrían conformar, en unas tres décadas una inmensa ciudad única, dado el poblamiento extensivo y la unión de las fronteras.

Sin embargo, la necesidad de tierras para cultivo llevó al costarricense a explorar territorios hacia el norte (San Carlos, Zarcero, Upala, Guatuso) y hacia el sur (Pérez Zeledón, Coto Brus, Buenos Aires, Osa, Golfito, Corredores), pero también exploró el Pacífico Central del país. Mención aparte merece el poblamiento de Guanacaste, de cultura chorotega y lazos históricos con Nicaragua, así como el Caribe, extensas llanuras apropiadas por latifundistas estadounidenses y costarricenses para la producción del banano. Se dice que un ex presidente de ingrato recuerdo obsequió a Minor Keith, empresario yanqui, una inmensa cantidad de tierras para que construyera el ferrocarril al Atlántico. En el Caribe el esclavismo, la explotación y el abandono han sido los comunes denominadores. Trajeron negros de Jamaica, así como chinos, para construir el ferrocarril y trabajar en las grandes plantaciones, por eso la cultura e identidad de esta región es distinta a la del país y se le reconoce como afrocaribeña.

Así las cosas, Costa Rica se formó, en términos de identidad cultural, en tres bloques: la Meseta Central (que hoy se conoce como Gran Área Metropolitana –GAM-), Guanacaste y el Caribe. Los símbolos nacionales, así como las tradiciones y costumbres –gastronomía, hábitos, música y arte, etc.-, del país han procurado incorporar elementos de los tres bloques, pero hoy es un hecho que en realidad solo se ha logrado con Guanacaste. El árbol nacional, por ejemplo, se llama Guanacaste; los compositores de la música tradicional –como el tambito- provienen de esta provincia e incorporan letras en honor a ella, como “Luna liberiana”. Las comidas tradicionales también provienen de la tradición guanacasteca, aunque últimamente se han ido sumando platos de la tradición afrocaribeña –como el Rice and Beans, el Pan Bom, entre otros-.

Mención aparte, pero no menos importante, merece el legado indígena en este país, que va desde la misma cultura chorotega (Guanacaste), hasta las que aún permanecen con fuertes rasgos identitarios y su lengua, como los Bribris, los Cabécares y Ngäbes. Costa Rica tiene 8 culturas indígenas y más de 25 comunidades repartidas en todo el país, con diversas tradiciones, gastronomías, costumbres, artes, lenguas y visiones de mundo. A las 4 culturas mencionadas se suman los Teribes, los Borucas, Los Malekus y los Huetares. Solos los bribris, los Cabécares y Ngäbes preservan en buen estado su lengua, las demás culturas solamente algunas palabras y frases.

Geográficamente hablando, las 8 culturas indígenas pueblan todo el país en 25 territorios protegidos, entonces no se les puede ubicar en un área determinada, pero es en la región montañosa de Talamanca (la cordillera más grande y no volcánica del país) que inicia entre Cartago y Turrialba, y confluye con la Zona Sur. Fueron exterminados de la Meseta Central por los conquistadores de España, reducidos a escasos territorios, este es el caso de los malekus, chorotegas y huetares.

A pesar de que el costarricense no lo acepta, por prejuicio xenofóbico, las culturas indígenas también lo han permeado culturalmente y muchas de sus costumbres y comportamientos provienen de ellas. Incluso, últimamente, el mestizaje con estos pueblos es mayor, generando una nueva "camada" de mestizos con raíces indígenas fuertes. Los nuevos mestizos lucha contra la intromisión de la cultura occidental en sus pueblos y los que se sienten orgullosos de sus raíces, dicen que son aborígenes (originarios), aunque tengan sangre mestiza.

En síntesis, el costarricense promedio, es producto del mestizaje y solamente la estupidez le permite a algunos renegar de esa condición multi-étnica y pluri-cultural, ya establecida así en Costa Rica mediante una Ley de la República. Por eso no es de extrañar que de repente en un espacio usted escuche a un tico referirse a los "cholos indios" con desprecio, pero si se mira al espejo encontrará todos los rasgos de uno, que posiblemente fue su abuelo o abuela.

En Costa Rica, entonces confluyen rasgos, principalmente, de varias culturas: la española (que avasalló culturalmente), la afrocaribeña, la indígena y más recientemente hay grupos culturales que tienen que ver con migrantes como los chinos, italianos, colombianos y nicaragüenses. Según un estudio del Centro de Investigación en Biología Celular y Molecular de la Universidad de Costa Rica en el 2013, en promedio el 45.6% de nuestra sangre es de origen europeo, el 33.5% de origen indígena, el 11.7% de origen afro-descendiente e incluso un 9.2% asiático.

Toda esta mixtura ha conformado lo que hoy es el costarricense, bien que mal, una mezcla, un latinoamericano muy particular, que ciertamente tiene hábitos y costumbres que lo distinguen de los demás americanos. Sin embargo, léase bien, también tiene muchas de ellas que lo pondrán a la par de la mayoría de los latinoamericanos, que han sido precisamente producto de este mestizaje.

Norberto Baldi, profesional en este campo, define a Costa Rica como una población mixta y señala que aunque "determinar el mestizaje a partir de características como la morfología ósea es muy difícil en sociedades como la nuestra (como sí es posible entre grupos muy lejanos geográficamente), la genética nunca miente"(1).

Pero ojo, no solo su composición étnica hace al costarricense, como decíamos atrás, el hecho de ser **una "isla continental"**, de haber sido **puente histórico** y de haberse formado a sí mismo, sin la intromisión de otros, le permite también configurar su comportamiento actual.

Resulta curioso, por ejemplo, que en el Pacífico Sur, la región conocida como Valle del Diquis, haya sido un puente entre las culturas del norte y del sur. Las esferas de piedra, todas las figuras precolombinas de oro encontradas y su desarrollo social y tecnológico, hacen presumir que en ese lugar se desarrollaron culturas mixtas, con orígenes genéticos de varios lados, que fundaron civilizaciones avanzadas. Así lo indican la exactitud y simetría de las esferas, pero también el cómo fueron transportadas a la Isla del Caño, entre otros indicadores.

Cuenta la leyenda que cuando Francisco Pizarro, conquistador de Perú, llegó al Imperio Inca los chamanes y grandes jefes le contaron que para poder convertirse en chamán (líder espiritual de su pueblo), los aspirantes debían caminar hacia el norte por largo días, hacia un lugar conocido como "el país de las bolas", en alusión a las esferas de piedra. Se presume ya sea en el Valle del Diquis, o bien donde ahora es el Monumento Guayabo –en las faldas del volcán Turrialba-, en algún momento operó un centro ceremonial para cualificar a los futuros chamanes de las culturas suramericanas. Por sus características, el Monumento Guayabo parece ser ese centro ceremonial, principalmente por su calzada que va desde Turrialba hasta el propio centro donde están los montículos principales, así como las zonas de "peaje", donde el paso habría sido regulado en las peregrinaciones.

En todo caso, si el oro –abundante en el Diquis- y las esferas fueron objeto de poder, eso indicaría que la Costa Rica del sur pudo ser una importante ciudad reconocida por propios y nómadas. Un dato interesante: la pieza de oro más grande conocida en Costa Rica fue encontrada en la isla Violines, en la desembocadura del río Sierpe.

Así las cosas, cuando los españoles llegaron al Valle Central empezaron a darse cuenta poco a poco de la gran importancia del sur. Fue Juan Vásquez de Coronado, el tatara, tatara... abuelo de los ticos, quien realizó la primera expedición para conquistar y someter esos territorios. Sin embargo, Andrés de Garabito y otros conquistadores ya habían pasado por esa zona en su búsqueda del mar del sur.

Vásquez de Coronado enfrentó fuerte resistencia de los locales y no pudo avanzar mucho. En efecto, no pudo subir por las riberas del río Térraba ante la bravía resistencia indígena, principalmente se habla de los Coctos (Cotos), una cultura del sur que luego se diluyó con los Borucas y Teribes.

Cuenta la leyenda que cuando los Teribes (que luego se llamarían Térrabas) de Panamá supieron que los españoles venía del norte y estaban conquistando territorios, entonces prepararon un ejército con los mejores guerreros y los mandaron al Diquis para evitar el avance de los conquistadores. Los guerreros se aliaron a los locales y tomaron el río Térraba para impedir que Vásquez de Coronado (y luego otros invasores) pudieran subir hacia las montañas de Talamanca, donde se resguardaban las diferentes comunidades originarias. Luego los Teribes se quedaron y formaron la comunidad que hoy se llama Térraba, de cultura Bröran principalmente. Hoy, décadas después, los teribes de Costa Rica han empezado a recuperar lazos con los de Panamá.

Como se puede ver, Costa Rica es territorio de migraciones de todas las culturas, las precolombinas y más adelante aquellas que vinieron de otros países.

La historiadora María de los Ángeles Acuña León explica que “cuando entramos al siglo veinte ya llegamos mezclados, en las tres dimensiones del mestizaje: en lo biológico (sangre, genes), en lo social (vínculos de carácter espiritual, matrimoniales y económicos) y en lo cultural", pues los procesos de mestizaje iniciaron desde la colonia (2).

Durante la Colonia empezaron a nacer los criollos (hijos de españoles nacidos en Costa Rica) y desde la Conquista (por las violaciones de mujeres) ya venían naciendo los mestizos. Ya en el siglo XX Costa Rica era mestiza, aunque la creencia de pureza persistiría hasta finales de ese siglo. En esta etapa los judíos, italianos, nicaragüenses y otros inmigrantes vinieron a ensanchar el mestizaje.

Según los estudios, "en 1855 se dio la llegada de los primeros trabajadores chinos al país, quienes después de los afrodescendientes representan el grupo de mayor importancia en la conformación genética de los costarricenses y cuyos aportes han sido esenciales en la construcción de la Costa Rica actual" (3).

Se estima que el 7% de la población de Costa Rica es nicaragüense y, aunque alrededor del 5% de este grupo nació en Nicaragua y migró hacia nuestro país, también existe una gran cantidad de familias mixtas con hijos nacidos en Costa Rica. Y muchos nicaragüenses ya se han mezclado con costarricenses y han procreado hijos producto de esa nueva mezcla.

Para muchos estudiosos, hay una base identitaria que aunque varía con la influencia de los migrantes, se mantiene fuerte y permea el comportamiento social, político y cultural de los costarricenses todos (nacidos ayer o nacido hoy).

## CAPÍTULO 2

### Los 6 hábitos culturales del costarricense que todos desprecian

Dicen que ser costarricense es lo más lindo del Mundo. El tico que viaja a otras tierras normalmente sufre de un insoportable "mal de patria" que saboriza con gallopinto, salsa Lizano o unas Imperiales. Dice un estudio europeo, además, que el costarricense es el habitante más feliz del mundo, y la mayoría de los "ticos" pretenden que así es, pase lo que pase.

Sin embargo, el nacionalismo costarricense termina después de un partido de la selección de fútbol, de alguna participación deportiva de primer nivel –que son ciertamente muy esporádicas y escasas-, o incluso cuando un Presidente vecino amenaza con reclamar Guanacaste o invade una porción de territorio nacional. Con la despreciable xenofobia también surge un falso nacionalismo.

Felices o no, nacionalistas o no, los ticos tienen también actitudes que los disgustan a ellos mismos, pero que ponen con los "pelos de punta" a más de un extranjero. Incluso, por qué no, como buen o mal tico, usted también se identifique aplicando algunas de ellas.

Isaac Felipe Azofeifa, en su ensayo "La isla que somos"; Abelardo Bonilla, en "Abel y Caín en el ser histórico de la nación costarricense"; Mario Sancho con su "Costa Rica, Suiza centroamericana" y Yolanda Oreamuno en "El ambiente tico y los mitos tropicales", son algunos de los autores costarricenses que han reconocido muchas de estas actitudes que todos desprecian en el costarricense.

En algunos casos, esas actitudes han resultado incluso ser no digamos positivas, pero sí favorables en la conformación del ser costarricense porque, aunque sean impugnables a nivel individual, algunas han permitido –por ejemplo- que el costarricense se mantenga pacífico, sea tolerante y amable, es decir, que no busque problemas fácilmente.

Hurgamos en redes sociales y preguntamos a especialistas sobre cuáles son esas actitudes más frecuentes y más despreciables.

Con la incursión de las redes sociales, muchas de estas actitudes se han ensanchado y han encontrado terreno fértil para sembrarse y diseminarse como conejos en celo.

Le presentamos el resultado de esta investigación sobre la idiosincrasia costarricense.

1. **El serrucha pisos y el choteo**. Es muy común, tanto su aplicación como su mención en la charla del costarricense. Se trata de la acción de hablar mal y de actuar en contra del trabajo de los demás **para bajarle el piso**, es decir, que no crezca aún cuando tenga méritos. Azofeifa lo describió como la **horizontalidad** democrática costarricense: todos debemos ser **iguali-ticos**, pero si alguien resalta entonces estará en problemas. Según Abelardo Bonilla esto se debe al **egoísmo** y principalmente a **la envidia** del costarricense, que no soporta que algunos destaquen más allá del común. Una forma clásica del serrucho en la vida común es el "**choteo**" –actitud burlona hacia el trabajo y aspiraciones de los demás-, que Bonilla relaciona con el concepto de indiferencia, otra actitud que se asocia con el choteo y el serrucho hacia incluso los temas más serios del país. Eugenio Corea, lector de Culturacr.net, lo describe como "la cultura del serrucha pisos que tiende a burlarse de aquellos que intentan algo nuevo y tienen iniciativa".

2. **La indiferencia, el "porta mí" y el conformismo**. En Costa Rica todo se hace **chiqui-tico**, solo para salir del paso, para pasar el curso con una nota mínima de 7, para cumplir con el trabajo; se trata de la "ley del mínimo esfuerzo" y que se asocia también con la costumbre de esperar que otros hagan el trabajo. Yolanda Oreamuno habla en 1938 de dos cargos a la cultura tica: "la ausencia casi absoluta de espíritu de lucha, y la deliberada ignorancia hacia cualquier peligroso valor que en un momento dado conmueve o pueda conmover nuestro quietismo". En su raíz la indiferencia o apatía y el conformismo tienen relación directa con la **vagancia** –que tanto criticaban nuestros abuelos-, que normalmente es mental o intelectual. ¿Para qué esforzarse si nada cambiará? "Si el país se va al caño, qué me importa a mí, si yo estoy bien, tengo trabajo y una base de sustento", han escrito quienes critican esta actitud. La gente se conforma con lo poco para salir al paso, sin visión de futuro, ni consciencia social. Esta actitud tiene además repercusiones en decenas de comportamientos del costarricense, como el hecho de **tirar basura** en cualquier lugar, **su manera de conducir** en las calles, su forma de trabajar y su cuidado del entorno familiar y ambiental. **El cortoplacismo y la falta de visión** se muestran, en este contexto, como evidencias de este comportamiento indiferente, del mínimo esfuerzo y del conformismo con lo inmediato. Isaac Felipe Azofeifa describe todo esto de la siguiente manera: "Desconfiado y astuto como un montañés; cortés pero tímido; trabajador sin constancia, buscando el provecho fácil de esfuerzo; campesino egoísta pero bondadoso, cazurro siempre, vive aquí un pueblo que no ha sido ni miserable ni inmensamente rico; ni guerrero ni sumiso; ni servil

ni rebelde (...)". Ya lo había dicho Mario Sancho cuando se preguntó en 1935: "por qué aquí ha fracasado siempre cualquier ideal grande que exija sacrificio". En este apartado se explica también el por qué los costarricenses no se preocupan por su cultura y el conocimiento, como el arte, son vistos solo para élites, no para todos y todas.

3. **La corrupción y la extendida cultura del "chorizo".** En este bello país, con grandes potenciales y capacidades, la corrupción se ha ido apoderando poco a poco, pero de manera decidida –como un cáncer de útero-, de todos los estratos de la sociedad. El tico ataca al político, y ciertamente ha germinado en política primero y de manera más oprobiosa, pero no se ve en el espejo, es más fácil **culpar al gobierno** y, mientras tanto, yo también incumplo las reglas y leyes, pero si yo lo hago entonces sí es válido. Desde el pago sin tributar por mutuo acuerdo entre el cliente y el empresario, hasta los grandes robos en el Estado, el "**chorizo**" –como se le dice en este país a las formas de corrupción típicas- ha calado en la mentalidad del tico y estamos de frente incluso ante el peligro de que todo este revoltijo de podredumbre –el chorizo- sea visto como **algo normal**. La cultura del vivazo, a la que nos refiere una lectora, es un ejemplo claro de lo que se trata: aplicar la ley del mínimo esfuerzo, la indiferencia y ser astuto mediante el chorizo para conseguir riqueza y vivir cómodamente, sin importar el perjuicio hacia otras personas o la sociedad misma. Una forma muy común de corrupción es la "**argolla**", en la que amigos y amigas se reparten premios, trabajos fáciles, beneficios y prebendas desde el Estado principalmente; la argolla funciona con tanta normalidad y cinismo que se ha dicho que "lo peor de la argolla es no estar en ella". Aquí no privan los

conceptos de mérito o capacidad, sino los de amistad y afinidad, **una forma de corrupción más**, altamente despreciable.

4. **La doble moral y el berreo.** Según las consultas realizadas hay una actitud cada vez más frecuente: **el berreo**, es decir, el quejarse de todo y contra todos, pero sin intentar resolver el problema o hacer algo para que cambie la situación negativa. Dice Azofeifa que el costarricense sufre de "pueril satisfacción de sí mismo", es decir, se siente lo máximo, pero no pretende hacer nada para que sea cierto, se trata de **una autocomplacencia sin sustento**. El tico se queja de todo, de los políticos, de la corrupción, de los extranjeros (la **xenofobia** hacia nicaragüenses, colombianos, dominicanos y otras nacionalidades es evidente con solo oír hablar al tico), del fútbol y hasta de la cultura tica, es decir, **de sí mismos**, pero son muy pocos quienes luchan de verdad por mejorar las cosas, por proteger el ambiente y los derechos laborales, por proteger la propiedad histórica de los costarricenses, por el legado cultural e histórico, por mantener limpio el entorno, entre otras reivindicaciones necesarias. Este berreo tiene relación directa con **la doble moral**, con tirar la piedra y esconder la mano, o como dicen ahora, tirar piedras al cielo con techo de vidrio o escupir contra el viento. Hablamos de los demás, pero vernos al espejo no es posible. En muchos casos, esto sucede por ser "políticamente correcto" e ir con la corriente. Sucede **con el tema religioso**, todos se parten las vestiduras contra gais, prostitutas o minorías, pero detrás de la puerta practican valores contrarios a la moral y ética cristiana. Abundan religiones o sectas que dictan normas que restringen la libertad individual o social, pero no pasan de la palabra, y en la

realidad los actos son otros contrarios a esa moral religiosa que profesan.

5. **Creer que lo extranjero es lo mejor**. A pesar de que el tico se cree lo mejor, de que ha sido catalogado como el más feliz del mundo y que sufre mal de patria al viajar, en Costa Rica siempre tiene preeminencia el producto o servicio extranjero antes que el nacional. Si un conferencista, por ejemplo, viene a dar una conferencia es recibido y pagado muy bien, pero si lo hace un costarricense –con mejores o peores atributos- el choteo actúa y se le desprecia automáticamente. Un símbolo de esta actitud son **los rótulos de los negocios**, muchos de ellos en inglés, tratando de cautivar a un público élite o incluso común que prefiere lo de afuera "porque es mejor". Los centros comerciales llamados "*malles*" extienden esta creencia e incluso prohíben el ingreso a personas con ciertas vestimentas. Esto tiene que ver con **un aldeano complejo de inferioridad**, en el que –como la novela "El árbol enfermo" de Carlos Gagini- al costarricense siempre lo ha cautivado y engañado lo estadounidense y lo europeo como modelo superior a seguir. No es de extrañar, entonces, que la balanza comercial de pagos del país –diferencia entre exportaciones e importaciones- siempre haya sido desfavorable para el país; es decir, importamos más de lo que exportamos.
6. **La impuntualidad, la informalidad y la ausencia de compromiso**. Cuando el extranjero llega a Costa Rica se sorprende de entrada por la "**hora tica**", esa que dicta que si acordamos llegar a las 4 pm, en realidad es entre 4 pm y 5 pm. Para algunos **un pretexto** para ocultar la informalidad y la falta de seriedad con que el tico asume sus compromisos, la "hora tica" es tomada por las masas como parte del jocoso folclor que nos

caracteriza. **La ausencia de compromiso** se ve en actitudes como decir “un día te invito a la casa”, o “un día de estos salimos a tomarnos un café”, entre otras expresiones que terminan siendo una forma cordial para no decir lo que se piensa “tengo pereza de que llegués a mi casa en realidad”. En el trabajo es común “en algún momento nos ocupamos de eso”, cuando debería decirse “el jueves a las 3 pm nos sentamos a resolverlo”. Estos y muchos otros ejemplos dejan ver que el tico no quiere **asumir la responsabilidad** concreta, pero con miedo a decir no. La falta de puntualidad y la informalidad en el trato son también pruebas de ese **miedo al compromiso**, a acordar cosas concretas, como una hora y un lugar.

Es posible que falten actitudes negativas en esta síntesis (y que iremos desarrollando a lo largo de este libro), pero son las más frecuentes y las más mencionadas en la actualidad.

¿Conoce usted alguna otra digna de mención? Conocer la historia de un país, así como conocer su identidad, su idiosincrasia, conocerse a sí mismo, es un paso vital en el camino por crecer y mejorar. Reconocer lo malo y corregirlo es parte también de un proceso que nos reta para ser mejores personas y seres humanos.

## Entremés del capítulo

A propósito del capítulo anterior, he querido rescatar este documento de autor desconocido que me llegó por las redes sociales y que ejemplifica dos cosas: el cómo los costarricenses tenemos capacidad de reírnos de nosotros mismos (punto a tratar en el capítulo 3) y la ironía que tenemos para expresar esos males que nos aquejan.

**ENFERMEDADES TICAS**

Explicamos a continuación extrañísimas enfermedades que se padecen en Costa Rica. Si algún día llegara a visitar este hermoso país centroamericano, téngalo presente.

1. QUEBRANTO: Misteriosa elevación de la temperatura corporal,
no lo suficientemente alta como para ser considerada fiebre, pero sí
lo bastante seria como para faltar al trabajo o al colegio.

2. PATATÚS: Ataque súbito de loquera de origen desconocido, el cual puede ser objeto de una hospitalización para su observación. Generalmente le da a personas de 50 años en adelante.

3. YEYO: Cualquier trastorno repentino que sea lo suficientemente
grave como para ir al médico, tomar remedios y faltar al colegio, o
trabajo. Puede utilizarse como sinónimo de PATATÚS.

4. CHICHOTA: Protuberancia craneal usualmente causada por el
*güevazo* sufrido durante el patatús...!

5. EMPACHO: Desorden digestivo ocasionado por una 'comida pesada' después de comer a la lata, como por ejemplo: atunes, frutas, pierna de cerdo, chicharrones y dos

botellas... La Sociedad Gastronómica recomienda para estos casos 'gotas amargas' (el Alka Seltzer nunca es igual).

6. PEGA: Especie de indigestión producida por comer algo en gran cantidad, lo cual produce una contracción muscular en la panza. Por medio de una sobada en los brazos, mágicamente desaparece...

7. MUÑECA ABIERTA: Dislocación entre la mano y el antebrazo, que generalmente ocurre por abrir diferentes envases, tales como whisky, birrillas o maníes o papitas tostadas (no habituales).

8. SERENO: Misteriosa sustancia que se precipita particularmente en horas nocturnas y que afecta sobre todo a niños si no llevan la cabecita bien tapada. También afecta a personas mayores o a la personas con alto grado de embriaguez...

9. CUERPO PESADO: ¿Cómo explicarle a otro ser humano no nacido en Tiquicia qué rayos es sentirse con el cuerpo pesado? Es "una vara" así como que el tronco va para un lado, los brazos pesan más que el carajo y de paso las piernas no le dan... ¿quién entiende esto?

10. ZALPULLIDO: Erupción extraña compuesta por un poco de 'bolitas' que salen generalmente después de haber comido algo que no le cayó bien o es alérgico al coctel de camarones, el cual ha tragado más de la cuenta cuando fue por primera vez a la playa.

11. RONCHA: Las 'bolitas' anteriores pero apretujadas y que pican, que joden en paleta, sobre todo si están localizadas en partes nobles. Y a propósito, ¿por qué le dirán nobles? Buena pregunta.

12. SOPONCIO: Padecimiento de personas mayores y que depende
del estrato social, manteniendo el nombre de 'SOPONCIO' si ocurre
en personas adineradas y PATATUS si la víctima es de clase media
o de clase baja...

13. COGIÓ UN AIRE (o su variación más extraña: cogió un CHIFLÓN). Éste de verdad que tiene locos de remate a todos los científicos de Harvard, porque hasta el momento no se explican cómo
es la fisiopatología de la vara esta: ¿Cómo uno se puede coger a un elemento gaseoso (aire)? Y el aire, ¿se deja coger así no más? Y si se
deja coger, ¿por dónde?

14. LE DIÓ UNA VARA: No tiene lugar del cuerpo específico, le
puede dar a cualquiera en cualquier momento y simplemente es que
esa 'vara' se lo llevó. (Para el Barrio de los Ñatos)

15. LE DIO NERVIOS: Todo el mundo tiene nervios, pero en Tiquicia, los nervios 'dan', sobre todo después de un Sismo o cuando
ven jugar a la Liga. Se refiere cuando una situación genera confusión, miedo, angustia. Es peligroso porque puede terminar en PATATÚS o
SOPONCIO!

16. UNA GÜEVONADA RARA: Contrariamente a lo que parece etimológicamente, no tiene nada que ver con el órgano que

están pensando. Al igual que 'la vara', puede dar en cualquier parte del cuerpo y súbitamente.

17. COSTALAZOS: Caídas aparatosas, generalmente en sitios públicos,
de las cuales quienes las sufren, a pesar de lo estrepitosos, se paran
rapidito, como si nada hubiera pasado, pero luego vienen los YEYOS
y la aparición de CHICHOTAS.

18. JODIDO: Estar mal, con algún dolor generalmente en alguna o
todas las partes del cuerpo, pero también atribuible al dolor de estar
sin trabajo o sin un peso. También alude a desarrollo mental.

19. CHICHÓN: Ira o cólera significativamente cuantiosa.

20. HECHO MIERDA: Es un combo especial que incluye un síntoma de todas las enfermedades descritas anteriormente.

# CAPÍTULO 3
## Los 7 hábitos culturales del costarricense que a todos encantan

Ser costarricense es "pura vida", dicen algunos, otros dicen que somos amables, simpáticos, conversones y solidarios en casos de crisis. El país más feliz del mundo...

Preguntamos a los visitantes de Culturacr.net, también en este caso, cuáles son los hábitos del costarricense que gustan a tirios y troyanos, a nacionales y extranjeros, y tenemos que aceptar que nos costó mucho encontrar respuestas "alegres" a esta pregunta.

El capítulo anterior, "Los 6 hábitos culturales del costarricense que todos desprecian", que fue originalmente publicado en Culturacr.net, dio vueltas por la web y fue leído por decenas de miles de personas, con reacciones virales y decenas de comentarios en redes sociales y en la misma publicación. Muchos nos reclamaron del porqué no hablábamos de lo bueno también, aún sin leer que ya lo habíamos prometido en el mismo texto del artículo.

Hurgamos en estudios, en comentarios en redes y en conversatorios, pero el común denominador fue uno: es difícil identificar los hábitos o actitudes que "hacen" al tico, sin al menos un pero posterior.

Este es el resultado del trabajo realizado:

1. **El tico tiene un profundo respeto por y ama la vida**. Dirán algunos que el "pura vida" es un cliché para manifestar conformismo, pero también están quienes defienden que el "pura vida" se incrustó en el coloquio cotidiano del costarricense porque manifiesta su sentir, su alegría por la vida y su cultural respeto hacia ella. Y aunque la historia oficial ignore la resistencia indígena que hubo en Costa Rica durante la Conquista y Colonia,

lo cierto es que el criollo hizo una República con un miedo permanente a perder la vida, quizás por eso más adelante –a la par de la gran influencia cristiana en el ser costarricense-, el tico apreció mucho la vida y prefirió, contadas excepciones, respetarla, evitar la guerra y mantenerse en paz, en ese "quietismo" que refiere Yolanda Oreamuno. "La relativa ausencia de tendencias colectivas que inciten a irrespetar la vida humana (como sucede en otras partes con doctrinas políticas y religiosas)", es una evidencia de ello, como apunta Carlos Alfaro Fournier, un lector de Culturacr.net en el anterior artículo. El amor hacia la vida se refleja también en su vocación pacifista y ecológica, con las que se identifica en la mayoría de casos.

2. **Es esencialmente pacífico y protector del ambiente.** A pesar de que muchos dirían que en lugar de pacífico, el tico es pendejo o cobarde, o conformista, la verdad para muchos es que el nacional de Costa Rica prefiere vivir en paz antes que en conflicto porque sabe y comprende –que no es lo mismo- que la guerra y la violencia son engendros del mal, son absurdos de principio a fin, indistintamente del propósito o fin que se persiga. Pocos actos discretamente violentos tiñen la historia de la Costa Rica republicana: algunos ejemplos son la Guerra del Coto –perdida fugazmente-, la Gesta de 1856 (la segunda más significativa y de peores consecuencias), las guerras de y contra la dictaduras de los Tinoco y la Guerra Civil del 48. La violencia y dolor posterior a la lucha del 48 permitió que el costarricense viera en la guerra una suerte de destrucción a la que aprendió a temer y eliminar de su ideario colectivo, con la abolición del ejército, hasta la fecha. Asimismo, la paz lograda en el proceso de Esquipulas consolidó la creencia en el tico, a la par del ensanchamiento de su fama mundial. El costarricense conceptualizó y comprendió entonces que su camino era la paz y con

ella ganaba más, en algún momento el tico ciertamente ya era tranquilo, pacífico y anti-guerra por convicción. Su amor por la vida, así como su convicción de paz, también lo llevó a creer esencialmente en su paz con el ambiente, en su necesidad de protegerlo para el futuro y porque "es bueno"; pero además últimamente ha aprendido que también pueden vivir bien si administra sosteniblemente el medio, con el turismo ecológico y el reconocimiento internacional por ello. Por eso la paz no solo es un estado de no-guerra, sino un estado de pro-vida y en este concepto base se reúnen estas 4 actitudes positivas del costarricense promedio, la que también tienen sustento en la raíz indígena de un territorio que fue puente e intercambio de culturas, donde siempre la diplomacia fue mejor en el contacto con otras comunidades y culturas.

3. **Es amable, cortés y simpático**. Aunque parecieran características propias de cualquier ser humano de cualquier país, en general estas son actitudes que el costarricense tiene inyectadas en las venas y que el extranjero reconoce con facilidad e, incluso, con sorpresa. En algunos casos hasta el empacho, porque el tico es en algunos casos tan empático que choca con la austeridad personal y el comportamiento pragmático de mucho anglosajón y europeo en general. Su cortesía se vislumbra bien en su cotidiana disponibilidad hacia el servicio, y aunque esta es una característica más del costarricense del pasado y de las zonas rurales, aún prevalece un poco de cortesía, como en el caso de "ceder campos en el autobús a mujeres, ancianos y discapacitados", sobre todo esta norma muy común en un pasado reciente. En la actualidad, lamentablemente se ha tenido que regular esto para que siga sucediendo y algunos jóvenes y extranjeros no son asiduos a respetarlo. La simpatía es natural, espontánea y sin rodeos, de lo contrario ya no sería una simpatía con marca costarricense; se trata de sonreír siempre con

ligereza y humildad, sin teatralizaciones ni rebuscamientos. El tico es afable y humilde como se percibe de sus antecesores indígenas, de quien adoptó gastronomía, estilos de vida, genes y mucho de los que ahora es, cuando ya los tuvo sometidos, aún cuando en la Conquista y en la Colonia, el enfrentamiento fue inevitable y visceral, como narran las luchas de Garabito (Garabeet), Pablú Presberi y Saldaña, héroes indígenas de la resistencia a la opresión y conquista de los españoles en este territorio.

4. **El tico es muy comunicativo, muy conversador.** Esta también pareciera un hábito común de muchos seres humanos sin distingos de nacionalidad, pero en el caso del tico hablamos de una charla amena y sincera, sin aspavientos ni pretensiones, de la humilde conversación para distraerse mientras espera en la fila del autobús, del banco o en el parque. Esta también es una actitud muy común del pasado y cada vez menos frecuente en la actualidad, principalmente si hablamos de que por razones de seguridad hasta los últimos gobiernos han promovido la desconfianza. En la zona rural es aún más conversador cuando se le pide información, no oculta mucho, siempre da las direcciones como mejor puede y colabora con buena intención para que el visitante logre su destino.
5. **La capacidad de reírnos de nosotros mismos.** Su capacidad de comunicarse bien también tiene que ver con el diálogo visual, con la expresión artística, su humor chabacano pero nada ingenuo, su fino choteo desde el arte o el lenguaje. Aún cuando vimos en el artículo sobre los "hábitos que todos desprecian" que el choteo es negativo, también hay un tipo de auto-choteo que no se refiere a sí mismo como persona, sino a sí mismo como país, como sociedad y comunidad. Esta capacidad que nos descubre el lector de Culturacr.net Allen Arias, se refiere a una actitud también de auto-crítica como nación, que de alguna manera se

contrapone al conformismo que mencionábamos en el otro artículo. También, según especialistas, esta actitud tiene algo que ver con que se critica lo que le pasa al país, pero sin responsabilizarse directamente o asumir culpas individuales. Esta capacidad le permite bajar el estrés social y no tomarse tan en serio los problemas sociales, muchos de ellos generado por el sensacionalismo mediático sin importancia vital.

6. **El costarricense es muy solidario ante la desgracia ajena**. Cuando hay una desgracia colectiva, el costarricense se apiada y actúa ayudando en lo posible, pero tampoco mucho para desprenderse de sus cosas de valor. En terremotos, derrumbes, inundaciones, entre otras desgracias naturales es donde más se ve esta actitud, en mucho incentivada por el negocio mediático y el interés político y económico que lleva consigo campañas de este tipo. En su barrio el tico, también más en el pasado que ahora, apoya cuando a algún vecino le cae la desgracia. En la tradición histórica ante la muerte de un familiar muchos llevan panes, comidas, aguadulce o café a la vela, muchos colaboran poniendo sus bienes al servicio de los vecinos. Aún sucede en las zonas rurales, en la ciudad eso ha dejado de ser importante y ha dado paso a la frivolidad típica del anglosajón y europeo. La ayuda al prójimo en comunidad también es un legado de la cristiandad católica.
7. **Es fácilmente moldeable hacia propósitos positivos, es colaborador en algunos casos**. Aún cuando podríamos decir que el tico de ahora es más urbano, o semi-urbano, y ha perdido valores esenciales de la aldea en que se desarrolló, la mayoría de ellos positivos para la convivencia en sociedad, en paz y crecimiento, el nacional de este país también es permeable al cambio que le convenga y le mejore. "**Es dúctil para cambiar hacia lo bueno**: ahora recicla, protege la biodiversidad, fuma menos o hace fila para abordar el bus", comenta

Federico Paredes en el artículo de los hábitos negativos. "La basura aquí es mínima en comparación a otras regiones", nos comentó Rossana Daumas, una turista estadounidense que recién acaba de visitar al país. Según ella, por ejemplo, sintió que el tico está "dispuesto a ayudar, me sentí segura de que vendrían a ayudar si lo necesitaba". En conclusión, se puede decir que cuando está convencido de que ayudar le beneficiará, le hará bien, el ciudadano costarricense estará más dispuesto a cambiar o colaborar con ese cambio, como también se ha podido evidenciar con algunos cambios alentadores en la protección de la mujer y la búsqueda de la igualdad de género – independientemente del resultado-; sin embargo, no se puede afirmar que esta característica sea propia de una amplia mayoría.

¿Ha pensado usted en algún hábito o actitud cultural del costarricense que deba resaltarse?

# CAPÍTULO 4
## Gastronomía e identidad

En el año 2013, también mediante la plataforma de **Culturacr.net**, solicitamos a nuestros miles de visitantes que votaran sobre cuáles eran sus comidas preferidas. Lo primero con el objetivo de medir gustos y reacciones, pero también para reconocer en esas preferencias un poco del origen, de la diversidad cultural y de la idiosincrasia del costarricense a través de lo que le gusta comer. Años más tarde, en 2017, **la "Encuesta Nacional de Cultura"** confirmó las preferencias que Culturacr había detectado 4 años antes.

El resultado confirmó algunas sospechas, pero también reveló algunos asuntos importantes sobre ese ser tico. Veamos

Más de 1200 personas decidieron, mediante voto directo, cuáles son las diez comidas preferidas de los ticos. El sondeo se realizó con un total de 26 propuestas y la gente podía votar por 3 opciones del total. Al final quedaron estos 10 preferidos.

El resultado no dejó lugar a dudas: el gallo pinto y la olla de carne siguen siendo los dos platos típicos preferidos del costarricense, seguidos de cerca por el digno tamal decembrino en un tercer lugar, y el arroz con leche "me quiero casar" que comparte con el casado típico el cuarto y quinto lugares.

Sigamos la lista de las 10 más votadas:

1. **Gallo pinto**. La mezcla de arroz con frijoles, con especies como cebolla y chile dulce, culantro (cilantro) cuando hay, saborizado con salsa inglesa, comprueba que no hay nada mejor para el gusto común que algo sencillo, fácil de preparar y de uso cotidiano. El "pinto" es tradicional en Costa Rica para el desayuno y se acompaña con huevos, natilla, queso frito o jamón,

según sea el gusto. El café es su usual "maridaje". Esta comida en particular es compartida con Nicaragua, en una absurda disputa sobre cuál es su verdadero origen. Lo cierto es que la preparación en ambos países es distinta, en Costa Rica se hace más seco, con cebolla y otros "olores" fritos previamente y con culantro crudo, así como con la famosa salsa tica que es una especie de salsa inglesa y cuya marca original fue Lizano.

2. **Olla de carne**. Esta sopa o caldo de res no solo es la chineada del costarricense, sino que además posiblemente el alimento más nutritivo de los ticos. Se usa carne de res con su hueso, que se cocina hasta obtener su caldo, al que se le agregan verduras como el elote, la papa, la yuca, tiquizque, chayote, ayote, camote, entre otros y según el gusto de los comensales, incluso de las regiones del país donde se haga.
3. **Tamal navideño**. No puede faltar en diciembre, pero se consume en otras épocas del año. El tamal tiene parangón en otros países, como lo es el nacatamal nicaragüense. El costarricense es un tamal de masa de maíz –usualmente obtenida directamente por el o la cocinera mediante molienda manual, o comprada ya molida y convertida en una masa. A la masa se le agrega un pedazo de carne –puede ser de cerdo, pollo, res o incluso vegetariano- junto con vegetales como chile dulce, zanahoria, guisantes y hay quienes le añaden papa o arroz, incluso pasas o huevo duro.
4. **Arroz con leche**. Este es el dulce preferido del costarricense. Es simplemente arroz cocinado en leche, con leche condensada, canela, clavo de olor y azúcar variable. Algunas personas le agregan pasas, pero el original no las tiene. No hay quien se resista a este sencillo dulce en Costa Rica.
5. **Casado típico**. Se trata de una comida muy completa y nutritiva, que incluye –no podía faltar en un país bastante arrocero- el arroz y los frijoles, una guarnición que es normalmente un picadillo –de papa, chayote,

ayote, papaya, arracache, etc.-, una ración de carne de algún tipo como carne en salsa, chuleta de cerdo, bistec de res o incluso filet de pescado y una ensalada que originalmente es de repollo (con zanahoria y culantro), pero que puede ser de lechuga con tomate u otras comunes en el país, como la ensalada rusa, la de papa, la de caracolitos o mixtas de varios tipos.

6. **Rice and beans típico**. Hasta aquí todos los platos son propios del Valle Central de Costa Rica –donde empezó la conquista y colonización del país- y las rutas hacia donde se extendió posteriormente. Sin embargo, el *rice and beans* corresponde a la cultura afro-descendiente que se ubica en el Caribe costarricense y es un tipo de "gallopinto" pero realizado con coco y chile, de una manera muy distinta, al estilo caribeño, y normalmente acompañado de pollo en salsa.
7. **Chifrijo.** Qué iba a pensar el dueño de Cordero´s Bar, un antro de Tibás, de que su invento trascendería su barra y mesas para convertirse, unos años después, en una comida tradicional de Costa Rica y posicionarse definitivamente en el paladar del costarricense. Esta comida es un caldo de frijol –preferiblemente tierno y grande- que –en algunos casos- se mezcla con arroz, chicharrón de cerdo –que puede ser chicharrón de carne o de piel- y un pico de gallo (chimichurri) encima. El pico de gallo es tomate, cebolla y culantro con limón. Algunos agregan chile al gusto y tortillas tostadas.
8. **Picadillo de arracache.** Aunque no es el más común de los picadillos (mezclas de verduras con alguna carne) definitivamente es el más apetecido entre la población de Costa Rica. Se realiza de una manera muy particular –diferente a los demás picadillos- con la raíz llamada arracache, y realmente son pocas quienes tienen la mano y la receta original para lograrlo, normalmente son mujeres campesinas, de donde proviene la singular comida que normalmente se acompaña de tortilla para formar lo que se conoce como "un gallo", que es la

tortilla envolviendo una porción del picadillo. Es común en turnos y fiestas típicas en poblaciones alejadas, pero se ha ido extendiendo a las urbes.

9. **Arroz con pollo.** A este común plato se le llama también "arroz con siempre", porque es usual en festividades como cumpleaños, bodas, fiestas religiosas y otras reuniones familiares y sociales. No es un arroz frito tradicional, sino que se cocina en la misma olla arrocera u olla común en fuego de leña. El pollo desmenuzado –en pedazos sin huesos- se cocina con especias, como el achiote, cebolla, chile dulce, guisantes, zanahorias, culantro o apio, pimienta y otras dependiendo del gusto. El arroz se cocina por aparte con el caldo que dejó el pollo al ser cocinado. Y luego se mezclan en la olla hasta lograr equilibrio, olor y sabor.
10. **Pozol(e)**. Este es otro plato típico que no es propio del Valle Central y se ubica principalmente en la región chorotega o Guanacaste. Se trata de una sopa literalmente de maíz, con consomé, especias y algunas veces se le agrega papa u otras verduras, así como carne de cerdo, normalmente grasosa.

Como usted podrá inferir, la mayoría de estos platos implican, en orden de frecuencia e importancia, los siguientes ingredientes: arroz, frijoles, carnes, maíz y verduras de varios tipos. Asimismo, es claro que nos gustan los caldos o sopa y las mezclas que incluyen esos ingredientes. No son propias de la gastronomía tradicional costarricense las frituras o los mariscos. No obstante, es claro que ellas han empezado a calar en el gusto del tico.

Nótese que todas son mezclas e incluyen alimentos tradicionales precolombinos, como el maíz (pozole, olla de carne, tamal, chorreada, cosposa, elote...) y las raíces como las verduras de la olla de carne y que también se usan en los picadillos (arracache, de papa, purés...), así como semillas proteínicas (frijoles, el mismo maíz, cubaces y otros), y por supuesto las carnes, principalmente el pollo y cerdo, ambos de la usanza indígena. La caza en la época precolombina era muy importante y la carne de mamíferos fue parte de su dieta, que normalmente se cocinaba en caldos, no frita. A esos productos se incorporan otros importados, como el arroz.

En conclusión, la alimentación de los ticos no es más que el reflejo de sí mismos. No alimentación pura ni propia de una sola cultura, no hay un solo tipo de dieta y la base del arroz, los frijoles, las carnes y las verduras hablan de una alimentación que, así realizada, es muy sana. Se dice, de hecho, que la olla de carne es el alimento más completo de la dieta costarricense.

No obstante, como ha venido sucediendo en otras materias también, el costarricense viene padeciendo poco a poco de una enajenación de la comida chatarra (frituras) que nunca fueron parte de su dieta.

Eso lo define como víctima de un sentimiento de pequeñez que es perfectamente asociable con uno de incapacidad, lo que llamarían algunos psicólogos “complejo de inferioridad”. En la comida, como en otras cosas, el costarricense se siente inferior si adopta lo propio, porque es visto como de menor calidad, inferior.

Entonces se arma un círculo vicioso, porque esas creencias le llevan a copiar y a creer que lo único posible es importar del extranjero lo bueno, porque aquí no lo hay. Y sí, se trata de una postración mental que tiene sus raíces en lo que hablamos en el primer capítulo: los orígenes de su conformación social. Más precisamente en la colonia, donde los españoles consideraron a los indígenas como un pueblo inferior, muy propio de la historia europea y sus siglos de largas y tendidas reyertas bélicas.

Los costarricenses, finalmente, adoptamos la idea de ser parte de ese pueblo inferior, al notar que estábamos más mezclados que otras culturas, como la anglosajona. Vimos que los gringos no se mezclaron con los apaches y más bien los atacaron en esas famosas películas del oeste donde los originarios eran los salvajes asesinos y ellos los héroes, como siempre se han puesto para enajenar culturalmente a los demás pueblos.

Decía Mujica que es más eficiente la enajenación cultural de un pueblo para dominarlo que aplicarle la guerra. Nosotros los ticos, víctimas y cómplices de ese sentimiento de ser poca cosa (muy insular por cierto), cedimos la autoestima (ver capítulo 6 sobre este tema) y aunque a veces los mayores reniegan de ello quizás por madurez y regresan a esas comidas tradicionales, la verdad es que el joven sigue asumiendo como propio ese sentimiento de inoperancia y minimización de sí mismo y del país, como extensión de su débil brazo.

Detrás de este tema está la cultura. Qué pasa con la cultura en Costa Rica y cómo percibimos la cultura los costarricenses, y cómo eso permea el cómo somos y no somos los ticos. En el capítulo 6 desarrollaremos el tema.

## LICORES Y BEBIDAS

Como en todo país del mundo, en Costa Rica también existen bebidas tradicionales y preparados de licores que son considerados propios de la identidad del costarricense.

Sin duda el café en esencial en la cultura y en la mesa costarricense, más aún cuando recientemente fue declarado – en 2020- como un símbolo nacional. En efecto, el café es uno de los principales productos de Costa Rica y con una basta historia que hace poco cumplió 200 años desde la primera exportación en 1820. El café de altura es particularmente bueno y existen varias marcas registradas con denominación de origen, además de un registro de varias competencias ganadas como el mejor café en concursos de barismo. Coto Brus, Pérez Zeledón, Los Santos y el Valle Central son las principales zonas productoras del conocido como "grano de oro".

Costa Rica no es un país de tradición vinícola, pero cada día se consume más de esta bebida ancestral. Sin embargo, es la famosa chicha, principalmente elaborada del maíz con procesos muy complejos y durante varios días para celebraciones tradicionales (el Juego de los Diablitos en Rey Curré y Boruca), la bebida típica en las comunidades indígenas. En las fiestas típicas o patronales de los pueblos en general la bebida por excelente es la cerveza, pero existen algunos tragos o cocteles que son particularmente icónicos en el costarricense:

1. **El Chiliguaro:** Aunque es más propio de bares, porque nació en un bar propiedad de Mauricio Azofeifa (su creador), esta mezcla de chile y guaro Cacique (licor de caña tradicional del país) en un jugo de tomate especial es preferida en cualquier parte.
2. **El "Jaibol"**: No tanto ahora como antes se le llama así al trago ligado entre cola y algún licor de caña: guaro Cacique o ron.
3. **El Cacicazo:** Aunque son muchas las versiones de esta bebida, incluyendo el "shot" con limón y sal, normalmente el guaro Cacique, con limón, a veces soda (gaseosa sin sabor) y sal es una mezcla muy gustada.
4. **La Chicha:** Como explicamos previamente, una bebida tradicional de las culturas indígenas, que se puede hacer de maíz, pero también de otros productos como la

piña. Aquí es importante incluir el **Chicheme**, una especie de chicha pero de maíz morado.

5. **El Vino e´ Coyol:** Esta es una bebida tradicional de Guanacaste, región noroccidental del país en el Pacífico Norte. Se obtiene del tronco de la palma de Coyotl y tiene un proceso elaborado culturalmente interesante. Se produce en las coyoleras. También se elabora con fines festivos.
6. **El Tablazo:** De uso más reciente consiste en mezclar cerveza, limón y guaro Cacique en un vasito de *shot,* golpearlo contra una mesa y tomarlo de inmediato para aprovechar la efervescencia en la mezcla.

Indudablemente a esta lista le hace falta más tragos que posiblemente usted está recordando, pero considérese una propuesta inicial para seguir creciendo.

También es necesarios incluir en el apartado de bebidas las tradicionales como el "Agua e´ sapo" limonense, la "Resbaladera" (agua de arroz con piña), el "Mozote" (del tronco de una planta llamada así), el "Tamarindo" (de la fruta del árbol del mismo nombre), la "Horchata" y el "Pinolillo" (una mezcla de maní, harinas y otros componentes), el "Chan" (bebida de una semilla parecida a la Chía, pero que no es lo mismo), entre otras que, como ya advertimos, tendremos que incluir en una futura edición de este libro.

# CAPÍTULO 5

## De las preferencias de los ticos

Aparte de la gastronomía los ticos tenemos otras preferencias interesantes que nos identifican. He creído importante incluir aquí el resultado de varios sondeos sobre lo que nos gusta en cuanto a espacios culturales, como referencia de nuestra estima hacia lo que somos y está dado, hacia esos espacios que nos han servido de valor patrimonial para ir formando nuestra identidad.

**Hagamos un repaso por esos lugares emblemáticos del país** que ningún turista debe perderse si desea hacer turismo cultural inolvidable, si desea saber más sobre este país que fuera un puente histórico, lleno de encantos naturales, pero sin duda alguna, también culturales.

**Las 7 escogidas por el público:**

**1) Esferas de piedra.** El misterio, el saqueo inicial y una investigación llena de supuestos y pocas certezas, rodean a las esferas de piedra del **Valle del Diquis** en la zona sur de Costa Rica. La Unesco las declara **"Patrimonio Cultural de la Humanidad"**, lo que las convertiría en un atrayente de turismo y de mayores recursos para su estudio, sin embargo el proceso ha sido lento y sin recursos. Dejando de lado las creencias astrológicas y la ficción, es posible que las esferas sean un legado de la cultura boruca y hayan sido objetos con fines ceremoniales, astronómicos o incluso de relaciones de poder indígena. Existen al menos tres sitios donde se pueden observar *in situ*: **Finca 6, Batambal, Grijalba 2 y El Silencio** (donde se encuentra la esfera más grande conocida). Las esferas son además parte de un complejo turístico sur que incluye hermosos espacios naturales como los humedales de Térraba y Sierpe, entre 3 y 4 culturas indígenas afincadas en la zona, las bellas playas del Pacífico Sur, donde se pueden ver ballenas y delfines, así como la gran reserva natural que es Corcovado.

**2) Teatro Nacional**. Este fino y antiguo edificio cultural de Costa Rica está asociado a la época del apogeo cafetalero en el país. Su construcción se dio a finales del siglo XIX y hoy con más de 100 años de existencia, se mantiene en buenas condiciones, recientemente se le reparó el techo, sin embargo, aún se necesitan hacer remodelaciones internas. En la actualidad el teatro ofrece espectáculos de todo tipo, incluyendo conciertos, festivales y normalmente presentaciones internacionales; asimismo cuenta con los programas Música al atardecer y Teatro al mediodía que presentan espectáculos cortos en el *foyer* y a precios populares. El teatro se ubica en el centro de San José, contiguo a la Plaza de la Cultura y el Gran Hotel Costa Rica, ambos espacios también históricos, entre la avenida central y la segunda.

**3) Monumento Nacional Guayabo**. Durante mucho tiempo olvidado, este complejo ceremonial ubicado en Turrialba deja ver un desarrollo indígena asombroso, ligado a la cultura cabécar. En Guayabo es poco lo que se sabe, pero lo conocido es fascinante: su acueducto aún en funcionamiento, la calzada de piedra que va desde el pueblo de Turrialba hasta el Monumento, donde se supone caminaban peregrinos al centro ceremonial, tumbas, así como petroglifos y monolitos. Asimismo, se encontraron figuras en oro en las primeras excavaciones y hasta la actualidad se han empezado a realizar excavaciones arqueológicas verticales para conocer un poco más sobre el lugar. Se pueden observar montículos de varios tamaños con propósitos diferentes y un cementerio indígena. El lugar también es un enigma arqueológico y sobre él confluyen diversas interpretaciones históricas, sin embargo es un enigma que atrae cada vez más observadores. Se le asocia con energías y espiritualidad, por su alineación con el volcán Turrialba.

**4) La Casona del Parque Nacional Santa Rosa.** Este lugar, alguna vez conocido como Hacienda Santa Rosa, fue el campo de la primera batalla del ejército costarricense contra los invasores estadounidenses al mando del filibustero Wílliam Walker el 20 de marzo de 1856. La casona fue construida en 1750 y en la actualidad es parte de un parque nacional que reúne además territorios para la conservación de la vida silvestre. Su antigüedad, así como el hecho de que allí se diera el primer triunfo de un inexperto ejército tico contra filibusteros, tienen al sitio en el cariño de los costarricenses. La casona ya fue declarada monumento nacional en 1966 y como parque nacional en 1971. Luego en 1999 fue declarada Patrimonio de la Humanidad junto con el Área de Conservación Guanacaste. ¿Quiere conocerla?

**5) Iglesia colonial de Orosi**. Construida en 1767 por los españoles en su proceso de dominación, conquista y colonización, es una de las más antiguas iglesias del país, ha sido restaurada recientemente para conservarla. Tiene un pequeño museo con indumentarias y objetos de uso religioso de la época, como sotanas y altares. Asimismo, a un lado se encuentra un antiguo cementerio con cruces, lápidas y otras formas antiguas. Se ubica en el Valle de Orosi, una antigua comunidad indígena que fue desplazada por el español en busca de oro. Los alrededores de Orosi cuentan con reservas estatales como Tapantí y privadas como Montesky (visite este lugar)que conservan la biodiversidad y la belleza del paisaje, desde miradores y aguas termales, cataratas y el río Reventazón, en el inicio de la Cordillera de Talamanca.

**6) Black Star Line.** Ubicado en la ciudad de Limón, este edificio histórico de la cultura afrodescendiente fue construido en 1922 en madera. Durante el 2014 será restaurado para su preservación como un espacio de gran valor para los limonenses y su cultura. En este lugar, declarado patrimonio histórico arquitectónico en el año 2000, se ubica en el primer piso un restaurante de comida caribeña y en la planta alta está el *Liberty Hall* (Salón Libertad). En el lugar se realizan la mayoría de actividades culturales de la comunidad, como las del Día del Negro.

**7) Museo Nacional de Costa Rica**. Este gran edificio, restaurado y convertido en un valioso museo histórico, es parte de un complejo público que incluye la Plaza de la Democracia, en el centro de San José. Conocido anterior a la Guerra del 48 como Cuartel Bellavista, es símbolo de la abolición del ejército en Costa Rica y por eso pasó a convertirse en un museo. En la edificación aún se pueden observar orificios de bala producto del "Bellavistazo", un intento rebelde por apoderarse del cuartel y quitar del poder al bando ganador de la Guerra Civil del 48. En él se encuentras algunas esferas de piedra, instrumental militar en desuso, reliquias históricas y muchos otros objetos que son parte del legado histórico del país. Su belleza escénica es evidente.

***

**Aún cuando no entraron en la lista de las 7 bellezas culturales del país, son dignas de resaltar los lugares 8vo y 9no en votación: las ruinas de Ujarrás y las Ruinas de Cartago**, antiguas iglesias coloniales que fueron destruidas por una rebelión indígena, la primera, y por un terremoto y abandono, la segunda.
Estos lugares son parte del turismo cultural que ofrece el país y en cada uno de ellos se encuentran vestigios de un pasado muy particular, del pasado de un país pacífico en esencia, que tuvo sus guerras, y de un pasado lleno de arte, cultura y riqueza visual, que aún preserva.

Los problemas tampoco son ajenos: los museos no son visitados por los costarricenses, así como los lugares maravillosos donde están las esferas de piedra y los monumentos nacionales de origen indígena, colonial o republicano.

# CAPÍTULO 6

## Tradiciones indígenas de Costa Rica

Este es un capítulo nuevo que incluimos en la segunda edición y parte de un estudio realizado por el autor acerca del tema.

Como queda claro en el primer capítulo de este libro, Costa Rica es un país con un 33% de sangre indígena y el legado cultural de estos pueblos ha tenido una notable influencia en la vida y conformación de la nacionalidad costarricense a través de los siglos durante la Colonia, la República y hasta el presente.

No obstante, los pueblos indígenas han preservado al menos 7 de sus tradiciones más valiosas y en el presente las continúan practicando. Creemos importante rescatar este conocimiento.

**Costa Rica** tiene **8 culturas indígenas y 24 territorios protegidos** para comunidades originarias. Algunas de esas culturas realizan un esfuerzo por preservar sus tradiciones y festividades más importantes.

Aquí le tenemos este recuento de las 7 más reconocidas del país, sin demérito de otras que aún estamos descubriendo.

### Boruca: El Juego de los diablitos

Esta tradición boruca es la más reconocida tanto nacional como internacionalmente. Se realiza en las comunidades de **Boruca (a final de año) y Rey Curré (primer fin de semana de febrero)**.

Es un juego en el que un toro contiende contra varios diablitos durante 3 días, simbolizando el enfrentamiento entre el español y los indígenas, hasta que el tercer día sucumbre el toro y se celebra la preservación.

Los diablitos usan máscaras hermosamente detalladas y pintadas, autóctonas, y se hacen recorridos amplios de casa en casa por toda la comunidad, mientras se comparte chicha y conversación.

**Ngäbe: La balsería**

Este "baile" o **competencia tradicional Ngäbe**, no muy conocida hasta hoy en Costa Rica, plantea una disputa entre dos contrincantes en la que el objetivo es golpear los pies de uno de ellos con un tronco del árbol de balsa. Es un juego de reflejos y de resistencia.

En el pasado era una disputa por las mujeres, pero eso ha cambiado y ahora es solamente simbólica. La contienda se acompaña con sonidos de cuernos en medio de una festividad donde la artesanía, el baile, la medicina indígena y la gastronomía también se pueden conocer.

En Costa Rica es realizado habitualmente en la comunidad de **La Casona, en San Vito de Coto Brus, en mayo**.

**Bribri: La jala de la piedra (Ak kué)**

Propia de la cultura bribri este festival "Ak kué" consiste en llevar en equipo una piedra consagrada por más de un kilómetro. Se realiza en la comunidad de Amubri y se acompaña de otros festejos de la comunidad.

La piedra puede pesar entre 1000 y 2000 kg y pueden participar más de 100 personas en el evento, simboliza precisamente eso: la unión del grupo y la cultura. La piedra es llevada en una especie de cama construida con bejucos y madera. Las piedras consagradas provienen de sitios sagrados para la cultura bribri que se encuentran en Talamanca.

En Amubri la guardiana de la tradición cultural y de esas piedras es **Natalia Gabb**. Se realiza entre agosto y setiembre de cada año.

## Térraba: El juego del toro y la mula

Se trata de una tradición de la **cultura Bröran** que expresa agradecimiento por lo que se ha obtenido de la naturaleza todo el año. En el recorrido de casa en casa la mula se mete y ataja al toro y lo lleva al matadero en este juego, mientras los demás juegan o molestan al toro.

En la ruta también se reparte chicha en guacal y en una java -hecha de bejuco negro tejido- se recogen alimentos para personas con necesidad. Al final, la sangre del toro -simbolizada por la chicha- es repartida entre todos, cuando ha sido eliminado.

En este juego también se utilizan máscaras y vestimentas propias de la cultura. Se realiza en la comunidad de **Térraba** cada año **del 24 de diciembre al 2 de enero** y es el clan **Bröran** que mantiene viva la tradición.

## Maleku: Festival Cultural Maleku

Esta festividad comparte **juegos tradicionales de la cultura, historias malekus, cantos, representaciones teatrales, comidas y bebidas, así como artesanías** autóctonas. Busca salvaguardar muchas de las prácticas culturales propias del pueblo maleku como lo era la elaboración del mastate, los jerros o bolsos malekus), el chiqui (donde se asan y ahuman los alimentos), entre otras.

Normalmente se realiza en uno de los tres palenques que conforman la Asociación Cultural de la comunidad Maleku:

El Sol, Tonjibe y Margarita, cerca de Guatuso, en la Zona Norte, algún sábado de la segunda mitad de octubre.

**Bribri: Inauguración de U-Sure (casa sagrada)**

Esta tradición ancestral de la cultura bribri es una ceremonia de “bendición” a una casa sagrada, que tiene forma cónica. Es una festividad casual, en cualquier fecha, pero su simbolismo es muy importante para esta cultura.

Esta tradición es muy íntima de la familia y la comunidad, por lo que normalmente se requiere invitación para asistir. Es más un ritual sagrado que una celebración.

**Cabécar: Inauguración de Jutsini (casa sagrada)**
Es la inauguración de una casa sagrada cabécar, con una ceremonia similar, pero con características propias de su cultura.

El jutsini también se realiza en cualquier momento del año y tiene un simbolismo muy importante.

**AGENDA CULTURAL INDÍGENA:**

- **31 de diciembre – 1 de enero:** Juego de los diablitos, en Boruca.
- **Cercanías del 20 de diciembre:** Juego del toro y la mula, en Térraba.
- **Primer fin de semana febrero:** Juego de los diablitos, en Rey Curré (Yimba Cajc).
- **Mayo:** Balsería & Cultura Ngäbe, en La Casona, Coto Brus.
- **Agosto – setiembre:** Jala de la piedra (Ak krué), en Amubri, Talamanca.
- **Segunda mitad de octubre**: Festival Cultural Maleku, en Guatuso, Alajuela.

Como las fechas pueden variar y es mejor consultar con mucha anticipación; el planeamiento para asistir a estas festividades es importante.

CulturaCR Tours es una operadora de turismo cultural que se especializa en producir giras y tours a estas celebraciones; son pioneros en este campo y es el mejor operador del país para conocer más sobre estos temas. Usted puede consultar al correo debrusproducciones@gmail.com y le pondrán en contacto.

En el pasado estas tradiciones eran pocas y estaban excluidas al visitante, hoy muchos costarricenses mestizos poco a poco se han incorporando al conocimiento y disfrute de estas posibilidades.

## CAPÍTULO 7
## El malestar con la cultura

Afirma Sigmund Freud en su ensayo *El malestar en la cultura*, escrito en 1930, que "el hombre suele aplicar cánones falsos en sus apreciaciones, pues mientras anhela para sí y admira en los demás el poderío, el éxito y la riqueza, menosprecia, en cambio, los valores genuinos que la vida le ofrece".

En la actualidad poco ha cambiado en la valoración de los seres humanos sobre los valores genuinos. Las personas buscan la felicidad y la realización en el dinero, en el poder y la riqueza, pero se olvida del arte, la cultura, la espiritualidad y todo aquello intangible.

Por eso no es de extrañar que en esa "valoración" contemporánea la cultura ocupe los últimos lugares en la escala de anhelos humanos. Nuestro país, inmerso en la realidad material de la actualidad, no es excepción, y su Ministerio de Cultura es el reflejo de esa situación.

Es simple: un país que no valora su cultura propia, es un país condenado a enajenarse de la cultura que no le es propia (parafraseando la expresión sobre la historia).

En Costa Rica el presupuesto para la cultura es de apenas un 0,5% del total, aproximadamente. Pero además, la cultura se ha convertido en **un instrumento de figuración**, de relaciones públicas de los gobiernos, y no de proyección **para el rescate de la identidad y la valoración del ser costarricense, en función de fortalecer no solamente el valor de ser tico, sino de su desempeño a partir del orgullo propio y de su capacidad para crear en beneficio suyo y de su país.**

Varios intelectuales y lectores consultados por Culturacr.net en una ocasión expresaron su preocupación sobre el hecho de que la cultura sea el último lugar de los intereses de los gobiernos.

Para Warren Soto, un empresario de Jicaral de Puntarenas, *"el principal problema de Cultura es que - dentro del modelo de desarrollo que seguimos - no es una prioridad por no ser "rentable". Es considerada un gasto en vez de inversión".*

El escritor y editor Habib Succar Guzmán sostiene que el Ministerio de Cultura *"es la Cenicienta de todos los gobiernos y falta de liderazgo y estímulo para todos los sectores, en general".*

El catedrático de la UNED, Luis Paulino Vargas coincide: *"me parece que es un ministerio que existe, digámoslo así, como para cumplir un trámite o requisito formal, es decir, para dar la apariencia de que al gobierno le interesa el arte y la cultura, no obstante que, como es evidente, está ausente de las prioridades gubernamentales y apenas si logra sobrevivir".*

Por su parte la reconocida y muy leída escritora Tatiana Lobo fue enfática: *"el Ministerio de Cultura no es más que el reflejo de las políticas nacionales de este gobierno. El sector cultura debió haberse organizado hace mucho tiempo para hacerle frente al colapso del apoyo estatal que, a todas luces, está sentenciado a desaparecer o a favorecer a una minoría".*

*"Creo que hay varios problemas: la falta de presupuesto; la influencia politiquera; la ausencia de políticas claras; la concepción unilateralmente elitista del arte y la cultura; la subordinación a lo "políticamente correcto" (dado un contexto de relaciones de poder) con base en el cual se maneja el ministerio"*, amplió Luis Paulino Vargas.

Warren Soto opina también que hace falta un verdadero Plan Nacional de Cultura que incluya a los sectores creadores del país y que las argollas en el Ministerio de Cultura son intencionales.

*"Todo grupo que llega al ministerio cada 4 años, desde el ministro(a) para abajo, tiene 'sus conocidos' que resultan ser, a los ojos de los desconocidos, 'la argolla de turno'"*, amplía el exgerente de la Editorial Costa Rica, Habib Succar.

**La cultura que queremos**

Y aunque entendamos cultura en términos amplios, como *"la suma de las producciones e instituciones que distancia nuestra vida de la de nuestros antecesores animales y que sirven a dos fines: proteger al hombre contra la naturaleza y regular las relaciones de los hombres entre sí"*, según afirma Freud, debemos preocuparnos por lo que pasa con nuestro quehacer cultural. Para esa definición, eso sí, solamente habría que hacer la salvedad que casi 80 años después de haber escrito Freud su ensayo, se debe invertir los factores de la relación hombre-naturaleza: ahora debemos proteger a la naturaleza del hombre.

Y si entendemos la cultura como las producciones artísticas, literarias y científicas, pues la preocupación no disminuye, pero además el estudio y exaltación de las manifestaciones diversas de la cultura (patrimonio, legado indígena, entre otros) que dan fortaleza a la población de un país.

Pareciera que el acceso a la producción de la cultura es solamente útil para los gobiernos en función del mejoramiento de sus imágenes. En el gobierno Arias Sánchez, por ejemplo, los programas financiados por el gobierno, como Proartes o las compras de instrumentos musicales para niños o escuelas (Sinem), han sido ampliamente publicitados en la televisión. Luego ha sucedido de manera reiterada con el programa Festival de las Artes, que ha sido la manera como los ministros endulzan al presidente. Esto ha sido particularmente crítico en el gobierno de Luis Guillermo Solís, cuando la entonces ministra Elizabeth Fonseca y su grupo fracasaron en la realización del conocido FIA (Festival Internacional de las Artes) y eso significó su inmediata destitución. Luego su sucesora concentró sus energías en la producción de los siguientes festivales de las artes, dejando de lado otras manifestaciones más allá de las escénicas, como lo fue su reiterada exclusión de la literatura y los libros de las producciones del FIA, Enamorate de tu ciudad y otras.

Habib Succar plantea que *"es increíble que a la fecha, ningún ministro(a) haya convencido a los políticos tradicionales de que el arte produce mucha plata y productos de exportación mejores y hasta más rentables, en varios niveles, que la agro industria o las manufacturas... Parece increíble tanta miopía: es un enorme negocio de miles de millones al año"*.

Para algunos la cultura nace y se reproduce en el país gracias al aporte de muchos actores de diversas procedencias, pero si dependiera del Ministerio la cosa sería distinta. De ahí que se agarra una percepción orientada a hacer de lo cultural algo comercialmente viable, pero que deja manifestaciones no populares en la exclusión.

Para Freud *"el destino de la especie humana será decidido por la circunstancia de si –y hasta qué punto- el desarrollo cultural logrará hacer frente a las perturbaciones de la vida colectiva emanadas del instinto de agresión y de autodestrucción"*.

¿Somos conscientes los costarricenses del papel tan importante que nos toca? ¿De hacer una verdadera cultura de paz, inclusiva, diversa y tolerante entre los hombres y con la naturaleza?

No lo creo, por ahora. Y mi percepción no es pesimista porque sí, sino por los indicadores actuales –que se repiten históricamente en los últimos casi 30 años-. Al cierre del gobierno de Luis Guillermo Solís, y en el preámbulo del siguiente –marzo de 2018-, la situación no ha variado notablemente como para sentirse alentado.

Porque, estimado lector, todo subyace finalmente a ese pensamiento de baja autoestima que lleva el tico en cada camino que recorre. Su cultura, nuestra cultura, no es importante, porque no somos importantes.

¿Eleva a los cuatro vientos una persona su ser cultural cuando se siente seguro y orgulloso de él? Por supuesto.

En nuestro país la cultura ha pasado a ser un negocio del grupo hegemónico en el poder, que se reparte entre unos pocos según sea su capacidad de movilización y de **amigocracia**, el poder de las amistades, una manera implícita en el ser costarricense para lograr sus intereses. Es una forma de tráfico de influencias que se realiza mediante afinidades electivas, por interés, y que van logrando espacios de poder.

## CAPÍTULO 8
## Amigocracia cultural y política costarricense

**El poder de las influencias, de eso se trata.** ¿Cuáles son los criterios para nombrar un equipo de gobierno y darle consistencia y coherencia? Hay tantas respuestas como demagogia y reflexión exista, pero en Costa Rica el panorama nos ha ido dejando algunas pistas que, quizás, no son tan nuevas, pero ahora destellan, para comprender lo que sucede.

La primera pregunta que me hice, a la entrada del gobierno de Luis Guillermo Solís (2014-2018) fue: ¿para qué un partido político construye sus propios cuadros y tiene sus propias estructuras, si al final la designación de puestos y funciones se decide por relaciones de confianza y amistad? Alguien me dijo una vez que este **es un comportamiento natural** de la política y siempre se ha dado, porque es lógico que un jerarca nombre a gente que pueda influenciar, a quien le tenga confianza y pueda controlar más allá de lo político.

En las recientes campañas electorales, el ataque al clientelismo y los "pegabanderas" fue un estandarte de al menos dos partidos: el Partido Acción Ciudadana y el Frente Amplio. Y muchos dijeron, es el tiempo de **la meritocracia**, no más inútiles en los gobiernos subiendo y bajando elevadores; pero entonces surgió otra realidad...

El PAC, que logró llegar al Ejecutivo por primera vez en 2014, nombró en la mayoría de sus jerarquías, desde los ministerios hasta las direcciones ejecutivas y juntas directivas, una combinación de experiencia proveniente de antiguos políticos del PUSC, el PAC y una buena dosis de jóvenes asociados al PAC.

¿Y qué pasó con los líderes, de experiencia, trabajo y capacidad del PAC? Algunos fueron nombrados, pero una buena porción de ellos fueron ignorados o, en la jerga muy tica, fueron ninguneados.

En los mismos cuadros del PLN, funcionarios de la administración anterior, con desparpajo y oportunismo de amplios precedentes, se fueron acercando al PAC y empezaron a decir que eran partidarios rojiamarillos (e incluso se incorporaron a comisiones de trabajo). No pocos lograron ser reelegidos en puestos en direcciones y jerarquías, con base en el criterio de "**el mérito, la capacidad y la experiencia**".

**La meritocracia, otrora confusa, quedó sin mérito, pasó a ser algo más: la amigocracia**. Al final no imperaron los cuadros de partido -no hablamos de los pegabanderas, no de quienes aportaron dinero para una campaña o se arrimaron por interés a último momento-, sino de quienes con todo el mérito por capacidad, formación académica, experiencia y real vocación partidaria, al final quedaron afuera, para dar paso a los viejos jerarcas que, empotrados y empoderados en las entidades de gobierno, supieron hacer valer sus condiciones e imponer su agenda. Al final, los amigos de los jerarcas, indistintamente de su filiación partidaria, por confianza y algún "mérito", se quedaron.

A esta amigocracia han dado en llamar "meritocracia", basados en criterios como "la persona conoce muy bien la institución, tiene los títulos necesarios y ha demostrado capacidad". Y todos sabemos que la capacidad y los títulos son materia relativa y de controvertida calificación en la actualidad.

En algún momento el escritor **Uriel Quesada** dijo para la literatura lo que podría aplicarse para la política: quizás somos tan pocos y tan conocidos todos en esta aldea política que todo termina siendo naturalmente endémico. **Samuel Stone**, en su obra "La dinastía de los conquistadores", deja claro que en Costa Rica quienes han manejado el poder son tres o cuatro familias, con el arrimo de uno que otro valiente que logra cautivar a estos poderosos clanes.

Pienso que Costa Rica es hoy una aldea un poco más confusa, no tan definida en los clanes familiares, menos endémica quizás, pero aún manejada por un nuevo tipo de relaciones: **la amistad conveniente**. En buen tico: "la argolla". Y no es de extrañar cuando la gente dice sin pudor alguno que en "el único problema de la argolla es no estar dentro".

Como ayer, hoy en la política es así. Pero también lo podemos en las relaciones sociales y culturales de todo tipo en el país. Está enquistado, como la misma corrupción.

Quizás **las fronteras entre los partidos políticos son imaginarias, inexistentes y se estiran al antojo de otros intereses.** Y si no lo cree vea cómo el Partido Restauración Nacional, a las puertas de un posible triunfo electoral en el 2018, ante la ausencia de equipo que tanto se le criticó, decidió abrir sus puertas a la entrada de cuadros del ala económica del Partido Liberación Nacional y recibió con beneplácito la adhesión de unos cuarenta dirigentes del Partido Unidad Social Cristiana. En ese caso, los partidos son solamente instrumentos para alcanzar el poder, sin contenido ideológico o programático real. Y claro, quizás usted piense que así sucede en otras partes del mundo, pero ¿eso significa entonces que debemos tolerarlo y permitirlo?

En algún momento, pensé que el acceso del PAC al gobierno significaría un cambio sustancial de la clase política en el poder -de esa vituperada clase dirigente-, con cuadros nuevos en el poder. El cambio ha sido, ciertamente, pero ha sido parcial. En términos del teórico Nicolás Poulantzas, estamos de frente a una reconfiguración del bloque en el poder, solamente ha cambiado una parte del bloque. Pero, ¿es una ruptura sustancial? ¿Hay posibilidad de hacer verdadero chocolate sin cacao natural? ¿Podrá un gobierno hacer algo diferente con el mismo bloque en el poder, con los mismos cuadros repartidos en cuotas de poder partidario?

¿Podrá un partido y un gobierno resolver los problemas del país sin el apoyo de los pobladores, sin el empeño de sus ciudadanos? Indudablemente no, pero lo veremos más adelante.

Entonces viene una pregunta que reúne los aspectos analizados: ¿para qué un partido forma sus cuadros y estructuras si no los piensa integrar al equipo de acción gubernamental? Quizás la respuesta sea: para darle consistencia y legitimidad como partido, para usarlos como institucionalidad.

Estamos de frente a **una nueva forma de entender los partidos políticos**, en la que quizás los partidos pasen a ser cascarones cuya única función sea de orden electoral y momentánea. Quizás ha sido la forma en los últimos 20 o 30 años, con variaciones de algún tipo, pero nos hemos resistido a observarlo así, a aceptarlo así. La fidelidad y lealtad partidaria han pasado a segundos y terceros planos de prioridad en la toma de decisiones, en la forma de nombrar estadistas y de acuerpar propuestas de acción política. Los resultados en las elecciones 2014 y 2018 así lo corroboran.

Y esa realidad que venimos planteando tiene una raíz: el cambio en el comportamiento de los costarricenses y cómo este cambio ha forzado a los políticos a reconfigurarse apoyando otros partidos cuando se requiere. Sobre este tema volveremos más adelante.

Y podemos entender, sin consignas trilladas, que **lo del gobierno de turno es estratégicamente válido e inteligente: no es lo mismo gobernar con ellos, que contra ellos**. Es una nueva forma de comprender la política, estamos de acuerdo, pero también se comprenderá por qué una buena parte del partido que llevó al poder a Luis Guillermo Solís, por ejemplo, estuviera resentida y apenas apoyara su gestión. Hay quienes dicen que el PAC, realmente, nunca ha gobernado, y nunca lo hará hasta que llegue Ottón Solís. Pero esa es otra discusión.

Ahora bien, **la amigocracia tiene serios riesgos políticos, cuando ella se impone** sin consideraciones de formalidad y sin seguir valores partidarios. Veamos al menos tres de peso: 1) cuando usted asume, por amistad y confianza, cuadros de un gobierno anterior que ha sido ampliamente criticado por corrupción, asume el riesgo de confirmarse **como un cómplice y encubridor de los desmanes de ese gobierno**, además de que esas mismas personas del gobierno anterior podrían obstaculizar o entorpecer burocráticamente hablando toda investigación que se realice (y eso lo pudo comprobar el mismo Solís en su administración); 2) si usted tiene una propuesta de un partido político, para ejecutarla, obviamente **quienes podrán ayudarle a realizarlo mejor son los cuadros propios** que colaboraron en el diseño y pensamiento de esa propuesta, sus amigos podrán empeñarse mucho y ofrecerle lo mejor posible, pero nunca estarán interesados porque **ellos tendrán su propia agenda** partidaria, social y política, conformada tras muchos años de estar en el poder (de ahí que surgieran asuntos como el Cementazo en el gobierno Solís Rivera); 3) **a nivel electoral el partido verá mermado su apoyo**, el cobro por el continuismo y el no cambio se hará patente en la próxima contienda, porque la gente votó por un cambio y se sentirá defraudada. Y así fue para el PAC en la elección 2018.

El PAC es solamente cómplice y víctima de esta forma tradicional de funcionar en la política costarricense. **La amigocracia es solamente un mal menor del que padecen todos los demás partidos**, sin excluir al Frente Amplio, cuyos cuadros de poder más bien son muy cerrados y sus criterios políticos, en algunos temas, aún deben pasar por el tamiz de la experiencia partidaria. Amigos, pero en principios de decencia y honestidad. Eso es, en todo caso, un paso gigantesco en un país robado por tirios y troyanos, por ricos y pobres, por políticos y "apolíticos"...

Por ahora, va quedando claro que la amigocracia impera, que si alguien desea servir no debe preocuparse tanto por ganar méritos -aunque le son útiles sin duda-, sino por tener muchos amigos que lo apoyen y empujen, sin importar un partido político y sus propuestas. **Predomina ante el mérito, la capacidad de la simpatía y empatía**. Ya no votamos por partidos políticos y sus programas y propuestas, ahora votamos por líderes y su grupo de amigos. **Y estamos avisados de esta mala señal** sobre el funcionamiento de la política moderna.

La **#amigocracia**, así con etiqueta de redes sociales, es hoy, ya, un concepto con un claro contenido y sustento en la realidad política. La meritocracia se diluyó por su propia subjetividad y ha dado paso a una vieja -pero ahora más evidente- forma de establecer **relaciones de poder** en la política costarricense.

Es en la política que se exalta esta actitud, pero podemos apreciarla en todas las actividades de la vida costarricense.

**Ella existe porque así somos los ticos, porque es nuestra naturaleza**. ¿Es buena o mala? Juzgue usted. Sin embargo, considere que tenemos diferentes niveles, desde el amigo que ayuda a otro por necesidad real, hasta el que trafica influencias para conseguir negocios del Estado, una forma pura de corrupción moderna.

¿Vamos a dejar de ser amigos los ticos? Por supuesto que no. Pero quizás debemos replantearnos qué es realmente la amistad entre nosotros y qué está pasando en nuestro país gracias a nuestros comportamientos colectivos en esta orientación.

¿Les da usted oportunidad a quienes realmente tienen mérito o a quienes son más amistosos? La amistad debe desconectarse de las capacidades. Y claro, cuando ambas se conjugan, pues estamos ante el estado ideal, pero siempre teniendo presente que el mérito y la capacidad deberían ser primeros. Eso hablaría bien de usted, de su organización, de su familia y su país.

Finalmente, debemos decir que hay esperanza. No todo es malo y hasta lo malo podemos convertirlo en positivo mediante la resiliencia cultural (último capítulo de este libro). Por ahora ahondemos en el tema de la autoestima patria.

# CAPÍTULO 9
## Un pueblo con grandes recursos y sin autoestima

Decimos que una persona tiene baja autoestima cuando no se quiere a sí misma. Cuando se cree inferior a los demás y es capaz incluso de maltratarse a sí misma. Es la consideración negativa que uno tiene de sí mismo.

Aplica también para un país, para un país como Costa Rica. Con una notable diferencia: usualmente una persona (o país) tiene una baja o mala autoestima cuando es fea, sin capacidades o recursos; en el caso del costarricense, hablamos de un pueblo que no se estima a sí mismo a pesar de grande potenciales y recursos.

Usted, amigo lector, posiblemente se dirá que sí tenemos autoestima, que siempre nos sentimos orgullosos de los logros nacionales, y que además normalmente destacamos de los demás países en muchos indicadores. Eso es verdad relativa.

Indudablemente somos ejemplo en muchos aspectos: tenemos el 25% de nuestro territorio protegido, un recurso ambiental maravilloso que anda por el 5% de biodiversidad conservada, una democracia "centenaria" –con algunos baches importantes-, la paz que nos trajo hasta aquí, nuestra capacidad para educarnos en lugar de invertir en agresión, entre otros aspectos que resaltan al ser costarricense.

Muchos celebramos, sin lugar a dudas, los triunfos de nuestra selección de fútbol de Italia 90 o en Brasil 2014. Los triunfos olímpicos de Silvia y Claudia Poll, de Andrey Amador en ciclismo, de las mujeres en el fútbol, de Nery Brenes en atletismo y otros inolvidables.

Tanto como en el deporte, nuestro astronauta Franklin Chang, las competiciones de ciencia y tecnología que ganamos a pesar del bajo apoyo, los alcances en salud, en educación y la estabilidad social y política que aún nos mantiene bien si comparamos con otros países latinoamericanos. Y muchos más.

**Pero somos destellos, no consistencia**. ¿Por qué no somos líderes en todos los campos o en la mayoría? ¿Por qué somos trabajadores limitados y sin ambiciones individuales, sociales y marca país?

**Porque nos sentimos pequeños**. Y usted dirá: es que somos pequeños. Eso depende. Singapur es pequeña, los países nórdicos son pequeños en territorio habitado, Islandia es pequeña, Japón es pequeña. ¿Por qué realmente considerarnos pequeños si somos tan grandes en muchas cosas?

Y aquí está el meollo del asunto: **la grandeza no se mide por cantidad**, sino por calidad. Y esta depende de cada uno de los costarricenses.

Este tema nos lleva al capítulo 2, donde podemos apreciar de manera clara todos esos hábitos y actitudes que hacen de nosotros pequeños. Y si usted relee ese capítulo se dará cuenta que esos 7 hábitos (que en realidad podrían ser hasta 10 o más) **tienen una raíz común: nuestro miedo a ser mejores**.

Per cápita somos mejor país en la mayoría de indicadores que México, Brasil, Colombia, Venezuela u otros países. Ya de por sí, somos grandes en la sumatoria de logros. Pero no lo sabemos, o no lo queremos saber, porque el morbo nos mueve a dolernos y lamentarnos de nosotros mismos.

Somos un país con "pueril satisfacción de nosotros mismos", pero no por lo que hacemos individualmente, sino por lo que hacen otros que son mejores que nosotros. Y esos otros no son mejores que nosotros porque nacieron así, sino porque aprovecharon sus condiciones para mejorar.

Es cierto: muchos nacen con mejores condiciones que nosotros para triunfar, pero piénselo bien ahí donde usted se encuentra: ¿cuántos ticos lograron grandes cosas sin tener esas condiciones? ¿Las tuvo Franklin Chang, o Andrey Amador, o Nery Brenes, o muchos jugadores de origen humilde como el "Chunche" Montero o el "Macho" Ramírez, técnico para el Mundial de Rusia 2018 de nuestra selección masculina de fútbol?

Tal vez usted no, tal vez sí, pero muchos talentos costarricenses han sentido que necesitan salir de Costa Rica, del serrucha pisos, del choteo y de la horizontalidad que lo anula.

Para nadie es grato dejar la patria, muy pocos pueden decir realmente felices que prefieren cualquier otro lugar que la familia, la patria y el lugar donde creció, de sentirse -en palabras de la escritora Anacristina Rossi- como un árbol desgajado en dos.

Esa es la historia de muchos artistas y escritores que han dejado la patria para buscar mejores rumbos, es el caso de Yolanda Oreamuno, de José León Sánchez, de Maribel Guardia, de Eunice Odio, de la Chavela Vargas, de Frankling Chang y de muchos más.

Aunque no todos salen por las mismas razones, saben que afuera podrán expandirse y ampliar sus vivencias para mejorar.

El esfuerzo, la dedicación y la voluntad no son palabras vacías cuando uno las lleva de la mano con un concepto gigante: **"creérsela".** Sí, suena muy común, pero eso es: créasela y siga adelante. Lo mismo aplica para el país. Veamos.

Cada vez que un equipo nuestro –en cualquier área- va al extranjero **el prejuicio es inmediato**: "no podemos contra esos grandes que están allá". Un ejemplo que los amantes del fútbol tenemos claro: el conformismo de los jugadores;

durante mucho tiempo (con las excepciones de Italia 90 y Brasil 2014) los equipos nacionales de este país iban a competir a México o Estados Unidos (póngale Suramérica o Europa para extenderlo) y de por sí el pensamiento era: "ojalá hagan una presentación aceptable o digna". Más aún: ¿cuántos ticos creyeron que Costa Rica podía hacer lo que hizo en esos mundiales históricos?

Note además que en ambos mundiales posiblemente el éxito se basó de una dirección técnica que se descontaminó de esa idiosincrasia negativa. El caso del serbio Bora Milutinov, quien se llevó a los jugadores fuera de Costa Rica en una gira por Europa y los sometió a regímenes de esfuerzo físico inéditos para el fútbol nacional. Similar fue con el colombiano Jorge Luis Pinto, quien asumió con rotunda disciplina personal y táctica el reto de Brasil 2014. Por eso no fue de extrañar que justo al final de la justa mundial del 2014 los jugadores se rebelaron contra Pinto y lograron sacarlo de la dirección del grupo, incluso después del gran éxito obtenido. Los jugadores no soportaron, por su idiosincrasia, el tren "militar" que imperó con Pinto Afanador.

Y todo lo que he venido planteando **encuentra asidero en un concepto clave: la autoestima país**. Todos, de una manera y otra, compartimos esta percepción de nuestra realidad: somos incapaces, indisciplinados, perezosos, conformistas, poco talentos y limitados en general.

Pero entonces, ¿por qué este país no se la cree con tantas condiciones favorables y prefiere el berreo, el serrucho y el ninguneo de quienes destacan? Por eso mismo: quienes ejecutan esas matráfulas sociales son quienes más miedo tienen, **quienes más baja autoestima tienen**.

Otra evidencia de esto es la conducta de un pequeño grupo de charlatanes y politiqueros que, a través de las redes sociales, hacen mella del buen trabajo de los demás. Resulta de perogrullo decir que **las redes sociales han venido a estimular negativamente ese comportamiento** de baja autoestima, pero además de serrucho hacia quienes lo hacen mejor.

Las teorías conspiranoicas, paranoicas y neuróticas, que pululan en redes sociales son un problema mundial, pero también un terreno fértil donde los más inútiles y socavados de la sociedad se recrean haciendo de las suyas contra quienes producen y se esfuerzan.

Las personas que dirigen estos movimientos, disminuidos por sí mismos y con poca autoestima personal por asumir esos roles negativos y desagradables, se abusan indiscriminadamente de las personas más ingenuas, inocentes e ignorantes para difundir mentiras o tergiversaciones de todo tipo, con el único propósito de destruir el afán y empeño de quienes intentan lograr que las cosas sucedan.

Y usted se preguntará: ¿seré yo uno de esos con baja autoestima y que frecuentemente serrucha a los demás? Pues sí, no tenga duda, porque eso está en nuestro ADN histórico. **El reto no es negarlo, es aceptarlo, enfrentarlo y cambiarlo.**

**El miedo no hay que negarlo ni tampoco soslayarlo, el miedo hay que tomarlo y llevarlo hacia el basurero** con inteligencia y esa astucia que ya, de por sí, tenemos los ticos.

Porque ahí es donde nos encontramos precisamente con el paso hacia adelante como país: **mediante la resiliencia podemos tomar nuestros problemas y convertirlos en algo positivo.**

**Costa Rica necesita resiliencia cultural.**

Ahora bien, salga a construir esa acera dañada frente a su casa, medite y reflexione racionalmente su voto en las próximas elecciones, participe de la educación de sus hijos; viva con ellos la educación sexual y enseñe usted también lo que mejor sabe, salga de voluntario a limpiar los ríos contaminados y ayudar al indigente y desvalido después de la iglesia, esté con sus padres adultos mayores mucho más tiempo y escuche sus historias, entréguese a mejorar su hogar para usted y los suyos, encuéntrese con los amigos para aprender de ellos (la escucha tan necesaria), participe de las asociaciones de desarrollo comunal y demás organizaciones de la sociedad civil, haga bien su trabajo y colabore con sus compañeros, emprenda algo propio que ayude a otros, salga a limpiar el parque de la comunidad y colabore con los equipos deportivos y culturales, escriba ese libro que tiene pendiente, lea con encanto y sin prejuicios las obras de los autores costarricenses que tienen una nueva visión del presente y del futuro, vea menos televisión y haga más... Siga usted haciendo su lista propia.

**No solamente se trata de saber cómo somos, de aprender lo malo que hacemos, este libro está escrito para que usted lo sepa si y solo si sale a cambiar eso malo.**

Verá que, tan rápido como pronto, su autoestima mejorará, pero además irá construyendo su parte en el crecimiento de este país, y con su país, de sus hijos y progenitores.

Y como dice el dicho "haga el bien y no mire a quien". Es un asunto de valores firmes. Tal vez usted habrá visto en redes algunos videos donde se compara el pensamiento latinoamericano con el de otros países como Japón o los nórdicos. De eso se trata, el cambio cultural es el único remedio, la única receta, o panacea si se quiere, para que un país como este avance.

**Ningún gobierno, NINGUNO, podrá lograr nada mejor si nosotros no somos mejores, otra expresión inequívoca.**

El cambio cultural es precisamente ese: el cambio que hacemos usted y yo, uno a la vez, para lograr que se vuelva expresión en cadena, cuyo desenlace finalmente vaya logrando cosas que, aunque tal vez no nos estimule mucho, quizás no veremos en vida. Pero ya habremos dejado **la mejor**

**ıerencia posible para un país dañado, incrédulo y naltratado.**

;e preguntará, ¿y para qué yo voy a sacrificarme por ellos si ⁄a no estaré vivo? Quizás entonces deba devolverse al pasado ⁄ preguntarse otra cosa muy importante: ¿Por qué nuestros ıncestros lucharon, pelearon y murieron por entregarnos lo ןue hoy tenemos? Las respuestas pueden ser varias, pero si :enemos algo de conciencia debemos aceptar que el mundo ıa venido mejorando gracias al cambio que propiciaron unos ɔocos muy fuertes, no los débiles que se acomodaron a lo ácil, establecido y que les daba un falso confort.

;in embargo, en esta sociedad democrática que vivimos, muy ica, **necesitamos que muchos sean fuertes, educados y ןue se den cuenta de su potencial, a pesar de los ɛstorbos**. Esa es la otra labor que requerimos en Costa Rica: :ntusiasmar a los demás costarricenses en que sí se puede, :n que sí se hace y sí se logra. Incluso cuando no se logra, ılgo se habrá construido del puente que llevará a lograrlo. Nadie llega al otro lado si no ha construido –o ha colaborado :n la construcción- de la primera viga de ese puente que inalmente lo logrará.

)el pasado aprendemos lo negativo, del futuro solamente lo ɔositivo que podemos hacer. Y como ticos, este principio lebemos reforzarlo. Estamos acostumbrados a la percepción lébil de que si algo es así, que siga así. Un prejuicio muy diosincrático, que nos pone en la misma recesión de siempre.

Y no podemos esperar, en recesión, que todo siga siendo ɔueno como hasta ahora. **El conformismo tico**, que acuñó el :x presidente Figueres Ferrer, es un lastre para este país y la Tercera República. Sin embargo, el conformismo en una dosis noderada puede no permitir una ambición desmedida que :onduzca hacia frustraciones o peores consecuencias. Por eso a resiliencia aquí también es importante: convertir algo negativo en un recurso de conveniencia para la mejoría.

**La Tercera República**, así con mayúscula, es el reto que tenemos. Y ella se asocia con el **Bicentenario**, es decir, la conmemoración de los 200 años de independencia patria, el próximo 2021. Creo que después de las elecciones 2018 se confirmará que la transición a un nuevo período histórico de Costa Rica habrá empezado. La caída del bipartidismo para permitir el multipartidismo, una mejoría en la conciencia electoral del costarricense (de su cultura política), la cercanía del bicentenario como algo simbólico, la confluencia de ideologías adversas, reformistas algunas, y la incursión del Partido Acción Ciudadana como la fuerza política predominante y una visión de lo que es la política y la sociedad que tiene diferentes marcadores, y mucho más, son indicadores claros de esa ruptura pacífica hacia una nueva República.

Pero ese tema será motivo para otro espacio (en el siguiente capítulo desarrollo la idiosincrasia del costarricense y su comportamiento electoral). Lo importante es que este nuevo período opera necesariamente un cambio cultural, ese **en el que debemos meternos con una nueva y vigorizante autoestima**.

## CAPÍTULO 10
## Idiosincrasia y comportamiento electoral del costarricense

Antes de la ruptura con el bipartidismo las claves para entender el comportamiento electoral del tico eran básicamente las mismas de una elección a otra. Los analistas que se formaron en el bipartidismo empezaron a fallar notablemente en sus percepciones, sobre todo aquellos que tenían su corazón comprometido con algunos de los dos partidos predominantes.

En el 2002, fecha en que inicia la ruptura, aún la gente decía que se trataba de un proceso casual. Nadie daba crédito a lo sucedido, mucho menos al Partido Acción Ciudadana, la tercera fuerza emergente y que luego pasó a confirmarse como la segunda. Entonces los escépticos y contrarios empezaron a vociferar contra aquel partido fundado por un exliberacionista: Ottón Solís Fallas, a la par de gente de diversos orígenes y tendencias.

El fenómeno del PAC subyacía a la población y no propiamente al partido. Me explico: el PAC nace porque la gente lo necesitaba para castigar a los dos partidos dominantes: Liberación Nacional y Unidad Social Cristiana, ambos venidos a menos por reiterados escándalos de corrupción y comprobada ineficiencia estatal, a la par de una ideología neoliberal hegemónica en la aplicación de las política económicas. Fue el tiempo en que este país dependía en todo de la ayuda y la deuda externa, fue el tiempo de la baja autoestima ideológica y política.

El PAC no tenía una ideología clara, pero acuerpaba en su dirigencia gente de izquierda y de centro-derecha, creando una extraña confluencia que muchos percibían como inminentemente fracasada. El PAC estaba condenado a su muerte siempre, en todas las elecciones siempre ha sido el partido que nace con un 4 o 5% de preferencia en las encuestas, hasta que en diciembre o enero empieza su tendencia inevitable al ascenso. Y ese ascenso era inesperado para todos, como los triunfos de la selección de fútbol en Brasil 2014, nadie daba una peseta por el PAC y todos lo condenaban a su extinción al inicio de los procesos electorales: "Ahora sí, asistiremos a la muerte del PAC", se decía.

Pero quizás nadie en este país quería aceptar que el PAC no era un fenómeno partidario, sino ciudadano. Y no se trataba de que fuera formado o creciera con la acción ciudadana, sino que los ciudadanos finalmente lo apoyaban como rechazo ante los otros partidos. El PAC se convirtió, digamos, en el comodín del pueblo ante los demás partidos que consideraba corruptos o incapaces.

El primer llamado fue en el 2002, solamente un año después de fundado el partido, cuando obligó por primera vez en décadas a una segunda ronda. Aunque quedó en tercer lugar, nadie podía ignorar el llamado realizado. Por eso no fue de extrañar que en 2006 el Premio Nobel de la Paz, Óscar Arias Sánchez, estuviera muy cerca de perder la elección con el candidato Ottón Solís. En ese entonces el PUSC había sucumbido antes escándalos de corrupción de dos de sus expresidentes.

Para el 2010, con la herida abierta del proceso por el Tratado de Libre Comercio en el 2007, el PLN acudió a una fórmula exitosa: propuso por primera vez en su historia una candidata mujer, que logró un amplio apoyo entre las mujeres y los liberacionistas, que para ese entonces aún tenían una base electoral fuerte de cerca del 25% de los electores.

Pero la caída del PLN también era inminente, el pueblo estaba muy molesto ante los manejos corruptos de ese partido y los escándalos mediatizado iban en aumento uno tras otro. Aquí el pueblo tenía entonces que mandar otro mensaje y así lo hizo: para las elecciones del 2014 el candidato Johnny Araya apenas podía mantener el apoyo de los liberacionistas de "hueso colorado"y se forzaba por segunda vez en la entrada del siglo XXI una segunda ronda, a la que el liberacionista ni siquiera asistió, ante el evidente apoyo que tenía Luis Guillermo Solís del PAC, un candidato que había empezado con un 4% de apoyo en encuestas un mes antes y terminó con el 31% al final el primer domingo de febrero. Nadie daba un cinco por Solís, el candidato revulsivo del PAC, después de que Ottón Solís se retirara indicando no tener el suficiente apoyo para lograr la presidencia.

Y la historia se repetía una vez más en el 2018: el candidato gubernamental del PAC, Carlos Alvarado, por quien las encuestas daban un 4-5% a principios de enero, logró colarse en el segundo lugar y asistir a una segunda ronda que pelearía esta vez ya no contra el PLN de siempre (partido en franca crisis y decaída), sino contra un partido evangélico-pentecostal, el Restauración Nacional de Fabricio Alvarado. Y otra vez: nadie esperaba un desenlace así. El 1 de abril de 2018 sin duda pasará a la historia de Costa Rica como un nuevo hito, la ruptura total con el bipartidismo PLN-PUSC para dar paso al multipartidismo, donde fuerzas emergentes ya han demostrado que pueden dar la sorpresa en cualquier momento.

¿Y para qué contar toda esta historia reciente? Es muy claro: para reforzar la tesis de que el PAC (y otros partidos emergentes), son finalmente una evidencia de la necesidad que tuvo la población costarricense de cambiar a la clase dirigente que tanto la había decepcionado a final del siglo pasado. Y esto, además, demuestra que la cultura política del costarricense cambia, en buena parte para bien, tanto así que ya no responde a los comportamientos del bipartidismo, pero tampoco a la idiosincrasia del costarricense de la Segunda República, el que vio nacer a las nuevas generaciones que ahora intentan asumir el poder con nuevas ideas y nuevos alcances, en el marco de una sociedad tecnológica y científicamente más avanzada. Por supuesto, este cambio generacional e ideológico iba a tener su resistencia en el conservadurismo que aún maneja buena parte de la población del país, y que ya no encontró cauce en el PLN o el PUSC para inclinarse por otras fuerzas emergentes, como el caso del populista Juan Diego Castro y el evangélico conservador Fabricio Alvarado. El PUSC recuperaba algo de sus añejas preferencias y al PAC todo se le complicó, porque al final del gobierno de Luis Guillermo Solís un caso de corrupción y otros desaciertos que lo implicaban, terminaron por maltratar la candidatura del joven Carlos Alvarado de 38 años. Al final, el presidente se tuvo que resolver en un duelo de Alvarados: Carlos y Fabricio.

En este momento el costarricense muestra entonces una conducta electoral interesante. Y posiblemente este cambio coyuntural podría implicar también un cambio en el ser costarricense, del nuevo costarricense.

Y ese nuevo costarricense es, indudablemente, más exigente con sus políticos, ya ningún candidato ni partido puede convencernos en totalidad sobre sus ideas, propuestas o el encanto de su candidato. Así que si alguien está esperando **un candidato ideal**, mejor tome asiento y póngase cómodo, porque aunque tal vez usted tope con suerte, eso requerirá tiempo. Dicen por ahí que “lo perfecto es enemigo de lo bueno”.

Finalmente, las elecciones de 2018 dejaron varias conclusiones importantes y que nos indicaban también un cambio en el ser cultural del tico:

1. **El multipartidismo se consolida.** No fueron ni 3 o 4 los partidos y candidatos que se enfrentaron, fueron hasta 5 y 6 con posibilidades de sorprender. Al final hubo 5 candidatos con francas posibilidades de ganar, ante el descenso de dos de ellos: Álvarez Desanti y Juan Diego Castro, quienes se liquidaron mutuamente, y el ascenso

de otros dos: los Alvarado. Los “mariachis” (originarios del PUSC), Rodolfo Piza y el doctor Hernández se quedaron en su expectativa previa a las elecciones.

2. **El partidismo parece ceder aún más ante la figura del candidato.** Cada año el énfasis propagandístico en la figura de los candidatos parece aumentar. Así lo confirma la irrupción de Juan Diego Castro usando un partido “alquilado” (PIN, al que luego renunció cuando no cumplió su objetivo de lograr la presidencia), el realce relativo de un candidato ya conocido como Rodolfo Piza, e incluso el desgaste como vieja y controversial figura de Álvarez Desanti en el PLN. Solamente el PLN mantiene una pequeña base de fieles (en franco descenso) que votan por ese partido pongan a quien pongan de candidato. Después el PUSC y el PAC guardan un porcentaje muy pequeño de seguidores. Pero esos porcentajes no son representativos ni tienen el peso necesario para inclinar un resultado electoral, no en estos años.
3. **Segunda ronda. Las elecciones se deciden al final.** Tanto en las elecciones de 2014 como las de 2018 los resultados fueron un misterio hasta el día de la votación, ambas en dos rondas. Las de 2018 fueron las elecciones más reñidas de la historia patria, quizás solamente comparables con las previas. Antes de la primera ronda afirmé en un artículo de opinión: “¿Qué el PLN es seguro candidato? No apostaría por ello. El PLN conserva en este momento la delantera por una razón sencilla: tiene una base partidaria más amplia y mayor exposición mediática de su candidato. Pero esa base puede ser su techo si el candidato no logra convencer, como parece estar sucediendo. Ya sucedió en el 2014”. Y así fue.
4. **Con-vencer: persuadir o quedarse atrás.** Decididos a votar a finales de diciembre (un mes antes del día E) son muy pocos y muchos de ellos pueden cambiar de opinión en cualquier momento. **Los indecisos son una gran masa en esa fecha**, por eso los porcentajes son relativos, no

dicen nada aunque quieran manipularlos. Sin duda apenas empieza el proceso por convencer, por persuadir o por morir en el intento. **Ante un electorado más volátil, más crítico y desinteresado, la persuasión adquiere ribetes extraordinarios**. Y no solamente se tratará de engañar mediante publicidad manipuladora. No, no ahora. Se trata de ganar votos por convencimiento, por un manejo muy preciso, pero muy acertado, de la imagen del candidato, pero además de su propuesta. Eso augura un proceso democrático muy interesante y fortalecido para cada elección, pero también habla del notable cambio del comportamiento electoral del costarricense.

5. **Idiosincrasia costarricense y elecciones.** Tengo años de reiterar la importancia de este concepto en los últimos 3 o 4 procesos electorales de Costa Rica, pero nadie creyó hasta que los hechos lo han venido confirmando. No solamente se trata de medir números y valorar el proceso electoral con fórmulas importadas o que podrían ser aplicables a otros países, sino se trata de ir midiendo el comportamiento del tico y eso requiere un poco de intuición e instinto político. El costarricense tiene características identitarias, de conducta social, que lo convierten en un votante muy particular. Esos "patrones sociales" superan enfoques y perspectivas "globales" o "mercadológicas" cuyo estudio pueden modificar la orientación de un proceso electoral. Por ejemplo, estamos en la etapa del "todos los políticos son iguales, no pienso votar", pero a la hora de la verdad serán decenas de miles que sentirán el llamado y esa responsabilidad cívica inculcada en sus "genes educativos". Antes de la primera vuelta en las elecciones 2018 escribí esto en un artículo de opinión: "Ahora solo los más cercanos seguidores dicen votar por un candidato u otro, con la excepción del fenómeno Juan Diego Castro, un caso asociado al más claro populismo. Se trata de candidatos que el costarricense apoya por su participación en los medios (Abel Pacheco en su momento, por ejemplo) y su

capacidad para convencer con palabras cercanas a los oídos del desencanto. En el pasado Pacheco, como también lo intentó Rolando Araya, tenía la compañía de un partido fuerte. Hoy Castro usa un cascarón partidario para lograrlo. En consecuencia, sospecho, Castro ya llegó a su techo electoral, es decir, no creo que avance más en la intención electoral de las encuestas. El costarricense, por idiosincrasia, no cae tan fácilmente en las garras del populista y por astuto –**cazurro** en palabras de Isaac Felipe Azofeifa- logra descubrir sus contradicciones". Y, en efecto, así como lo predije, sucedió; finalmente Castro quedó en quinto lugar con un 9.5% de los votos, después de haber encabezado las encuestas desde octubre del año anterior a la par de Antonio Álvarez del PLN.

6. **El leitmotiv de la nueva campaña.** ¿Sería la necesidad e insistencia en el cambio que exigió la gente en el 2014 el leitmotiv para el 2018 también? Y si no, ¿cuál entonces sería ese tema central y reiterado que logre convencer al electorado? La campaña nos ayudó a detectar estos aspectos interesantes: **A)** Indefectiblemente **la gente sigue pidiendo cambio**, pero no sabe qué cambio, ni tiene claro **cuál es la intensidad de ese cambio**, pero en su mente algo le dice que ese cambio debe ser gradual, como finalmente terminó aceptándolo en el gobierno de Luis Guillermo Solís. Es un cambio balanceado, de centro, pero necesita ver un cambio para sentir que las cosas mejoran. ¿Qué quiere el ciudadano costarricense después de un gobierno de cambio moderado? ¿Más cambio? Posiblemente hay una fracción del electorado que sigue pujando por un cambio radical, pero no es aún mayoría (y así lo refleja la caída de Castro con su populismo radical y del Frente Amplia con su ideología socialista a la tica), y no tienen claro cuál cambio quieren, excepto claro un cambio extremo en el combate contra la corrupción (el caudal político que mantuvo a Castro). Aunque todos hablen de cambio, es claro que **unos hablan de cambio hacia la izquierda y otros hacia la derecha**, unos

hablan de entronizar el socialismo estatal y otros de fortalecer el liberalismo económico. Unos quieren un cambio liberal en lo social y otros lo quieren conservador. **Todos piden un cambio diferente.** Por otra parte, ¿continuismo o cambio? ¿Será un asunto de continuismo del cambio propuesto por el gobierno vigente? ¿Qué quieren los electores? Está por analizarse seriamente en este punto. **B)** Pero el cambio no es el único leitmotiv de la ciudadanía consciente: **la lucha contra la corrupción también**, **pero ahora una corrupción más sistémica que de gobierno**, más de Estado que de un grupo que administra por un período. Es la gran oportunidad para hablar de **la corrupción social**, tanto en el sistema político como en la sociedad en general: en el sistema jurídico, pero también en el ciudadano común, en las instituciones y burócratas como en los empresarios y medios de comunicación. **C)** Ahora la gente espera una **campaña del cómo**, en la que los candidatos estén obligados a explicar cómo pretenden hacer lo que proponen, esto implica un salto cualitativo en el nivel de la democracia costarricense. Parte del desencanto de la ciudadanía radica, además de la desilusión del cambio para mejorar y la corrupción sistémica del Estado en toda su institucionalidad, en el cúmulo de promesas y propuestas insatisfechas en el pasado. **La gente necesita hoy más que nunca que le digan cómo se harán las cosas**, porque ya no quiere seguir comiendo cuento.

7. **El centro que es balance, seguridad y mejor conocido.** Si hablamos en términos ideológicos, la historia costarricense –con interrupciones ya conocidas- indica que los costarricenses buscan el centro, ese equilibrio que le da seguridad y comodidad, como ese refrán que dice "mejor conocido que por conocer". El centro también refiere al comportamiento de los candidatos, el tico quiere un candidato ecuánime, balanceado y comedido tanto en su hablar como en lo que habla. Por idiosincrasia al tico no le gusta el confrontativo (como lo ha sido Otto Guevara

durante quinquenios) o el timorato “mosca muerta” (como parece ser Álvarez Desanti), tampoco le gusta el que quiere un cambio radical (como lo propusieron Villalta o Guevara en su momento), pero tampoco al que no propone cambio alguno (como parecían ser Johnny Araya o Rodolfo Piza), no le gusta el hiperactivo (Villalta) pero tampoco el inactivo (Piza), tampoco el indeciso (el doctor Hernández), ni el muy decidido (Guevara). Le gusta un candidato equilibrado, porque así siente que es también él.

8. **Aprender de la historia para conocer el presente**. Los ciclos electorales en Costa Rica indican que ningún partido político repite más de 2 veces en el poder. Así ha sucedido siempre y se dio indudablemente en las elecciones 2014 cuando se rompió el continuismo liberacionista. En la conocida como “Segunda República” (que presenta un comportamiento más definido en sus ciclos) ningún partido repitió después de su primera vez. Figueres en 1958 tendría como sucesor a Echandi – opositor al PLN- y luego el PUSC de Carazo tuvo como sucesor a Luis Alberto Monge en 1982. En la historia partidaria de Costa Rica hay **al menos 3 períodos bien claros: a) el bipartidismo** del PLN vs otros partidos (liberales o conservadores o calderonistas) que va desde 1949 hasta 1978; **b) el bipartidismo** del PLN vs PUSC de 1978 a 2002, y **c) el multipartidismo** que abre el PAC en 2002 y que se consolida en el presente con mínimo 3 fuerzas importantes: PLN, PAC y PUSC, pero con la irrupción de candidatos y partidos coyunturales. Según esta historia y la dinámica de los ciclos electorales en este país, **el proceso 2017-2018 es totalmente nuevo y no tiene antecedentes**. Según esto, el PAC podría repetir (lo que implica la consolidación del PAC como principal fuerza política para esta década, una fuerza que ha sido apoyada por la gente pero con reticencias), y también significa una caída más para el viejo bipartidismo. Según la dinámica electoral en la mayoría de países occidentales, la tendencia es al cambio de timón y no a la continuidad.

En este caso particular, Costa Rica no permite la reelección presidencial consecutiva, entonces eso afecta aún más el continuismo, porque el nuevo candidato tiene que convencer al electorado de ser el sucesor del actual Presidente (si las opiniones le son favorables al gobernante de turno). Precisa anotar que también intervienen otros factores que serán más decisorios hacia el final, además de los ciclos.

9. **Casos, dimes y diretes con fines electoreros**. ¿Qué tanto permea en la actualidad las acusaciones y casos mediáticos a los candidatos? ¿Afecta a Álvarez Desanti el caso por una compra de terrenos indígenas en Bocas del Toro de manera dudosa? ¿Le afectará el haber dejado al PLN y volver, de haber acusado al PLN de corrupto y aún así volver? ¿Afectará el caso del Cementazo a Carlos Alvarado? El caso del cemento chino, denominado como Cementazo, afectó duramente la posibilidad del continuismo del partido oficialista. Pero **dicen que en Costa Rica no hay memoria y no hay caso de dure más de una** semana y fue más bien el caso de la resolución de la Corte Interamericana de Derechos Humanos a favor del matrimonio igualitario el tema que terminó permeando la elección 2018 con el ascenso de Fabricio Alvarado, basándose precisamente en una agenda de creencias y valores en contra de los derechos humanos de la comunidad homosexual. En este tema destaca que precisamente el descontento que explotan los medios termina por causar que emerjan nuevas fuerzas en la vitrina electoral. El morbo y la negatividad vende en la prensa cuando se trata de un país cuyos ciudadanos necesitan de eso para desahogarse en su vida cotidiana. El serrucho, el berreo y la necesidad de buscar culpables en los otros, son actitudes habituales de los costarricenses (que ya revisamos en capítulos anteriores), por eso la prensa explota convenientemente para su rating todo asunto que deje en mal al político. No obstante, aunque algunos medios inclinan sus preferencias

el pensamiento y el comportamiento político. Pero ese ya es otro tema...

## CAPÍTULO 11
## Hacia una nueva autoestima

Aunque se podría decir que la autoestima es un concepto solamente para personas individuales, queda claro que cientos de estudios lo extrapolan a grupos sociales particulares. Así las cosas, el concepto puede aplicarse a la población de un país que se define por unas fronteras y régimen político específico, pero además a un país que tiene una cultura clara y definida.

Costa Rica, a casi 200 años de su independencia, cuanta con esa condición. Y ciertamente hay comportamientos culturales que son más particulares de ciertas regiones del país, por ejemplo al diferenciar entre Guanacaste, el Caribe, el Valle Central y la Zona Sur.

Como ya desarrollamos en un capítulo anterior, este país –al igual que la mayoría de pueblos latinoamericanos- enfrenta características de baja autoestima provenientes de la historia colonial. No obstante, con el paso del tiempo, y de manera más acelerada en las últimas décadas, los costarricenses han empezado a empoderarse y marcar alguna independencia de esa cultura colonial.

Más atrás, también mencionaba que en la entrada del Bicentenario y del ingreso a una Tercera República, Costa Rica necesita también una nueva visión de mundo, una nueva cultura propia, con alta autoestima y más claridad en sus propósitos para sí misma.

Como hemos visto hasta aquí, hay hábitos y actitudes negativos como positivos en el costarricense, su gastronomía no deja duda de la interculturalidad que nos conforma y el comportamiento del tico ante decisiones importantes como las elecciones nacionales, van dejando nuevas pistas sobre esa identidad del nuevo costarricense.

Ya no solamente se trata de decir que somos un pueblo educado, sino también un pueblo con cultura propia. Y este es el reto de ahora y de la década que se aproxima. Educarse y adquirir una cultura propia no es solamente ir a recibir clases en técnicas y tecnologías para conseguir empleo, o incorporarse al engranaje comercial y económico de un país, sino que también necesita mejorar la calidad de vida en aspectos espirituales, existenciales, artísticos y culturales. En palabras sencillas, nada hace un rico con billones de dólares si no sabe cómo disfrutarlos.

Pero claro que no es tan fácil como decirlo. Y por supuesto que siempre llevamos lastres del pasado, de eso que muchos aún siguen considerando "lo normal". La transición que ya hemos mencionado puede ser tan larga como pensemos si las nuevas generaciones y las nuevas cosmovisiones no logran empoderarse y convencer.

La discriminación, el desprecio de lo diferente y de los diferentes siempre serán una amenaza en ese sentido. El crecimiento del *bullying*, en particular, nos da un ejemplo de cómo el miedo –desencadenado por esa baja autoestima- puede causar daños significativos y retrocesos.

Como ya lo decíamos, Costa Rica tiene un potencial como pocos países en el mundo, tanto así que ha sido imán para oleadas de migrantes de varios países como Nicaragua, Colombia, Venezuela e incluso hasta de habitantes de países de primer mundo. Y cuando estas personas ingresan al país se da un choque cultural que ha suscitado enfrentamientos y fuertes pensamientos xenofóbicos en el país. El extranjero llega y, ante la necesidad que trae de un contexto socio-político y económico más difícil, tiende a destacar frente al costarricense en muchos espacios. Por ejemplo, son mejores trabajadores –por menos paga- que los ticos, son más emprendedores o incluso tienen mejores habilidades desarrolladas a partir de la adversidad.

En consecuencia, la xenofobia no es más que la expresión de una baja autoestima de los costarricenses, a nivel grupal, que nos hace sentirnos amenazados ante el crecimiento del foráneo y la posibilidad de perder nuestras herencias sociales, económicas y culturales. Empero, algo curioso es que el tico asume mejor al más capaz y educado frente al pobre y más necesitado, una característica muy singular que posiblemente se ha desarrollado más a nivel de la xenofobia contra los nicaragüenses.

En todo caso, en estos contextos de migraciones el Estado costarricense se ha mostrado a favor de los derechos humanos, como el caso de los cubanos en su carrera hacia Estados Unidos. Pero también ha sido permisivo con migrantes de muchos países, algunos que se han comportado muy respetuosos y agradecidos, y otros no tanto, como el caso de algunos venezolanos que han querido intervenir en la política doméstica.

En conclusión, no es la xenofobia –como ninguna otra fobia social- el mejor camino hacia esa nueva identidad costarricense que poco a poco se va configurando en las actuaciones grupales e individuales. Usualmente, una fobia implica un miedo, y el miedo es un síntoma de una baja autoestima, asociada a muchos años de desprecio por lo nuestro, de creer que este país es poca cosa y que su gente no tiene calidad de primer mundo.

Y para superar esos pensamientos debemos hacer conciencia, pero también resiliencia, empoderarse en lo negativo para convertirlo en algo positivo.

Aquí vamos a tomar los 6 hábitos que todos odian del costarricense (capítulo2) y vamos a practicar una alternativa resiliente, que nos ayude. Veamos:

1. **El serrucha pisos y el choteo**. ¿Por qué no, en lugar de serruchar el piso al que lo hizo bien, mejor lo acompaño en su éxito o me esfuerzo más para proponer una

solución aún mejor, si esa solución existe o yo la puedo visualizar? ¿Por qué no, en lugar de chotear a quien lo intentó mejor, le decimos educadamente en qué podría mejorar y le loamos sus virtudes? Es fácil, vamos a intentarlo, los resultados podrían ser sorprendentes.

2. **La indiferencia, el "porta mí" y el conformismo**. La indiferencia es una actitud de perdedores, pero tiene que ver más con situarse en un estado de confort. La gente se habitúa a ciertos comportamientos sin saber que a veces solamente un hecho como no caminar por el mismo lado de la calle puede generarnos mejores cosas en la imaginación. ¿Por qué no, en lugar de quedarnos estacionados, intentamos caminar por el otro lado de la acera? ¿Por qué no salir a caminar hoy, solamente a caminar por ahí y respirar, imaginando cosas agradables? ¿Por qué no aventurarse este fin de semana en un tour a algunos de los increíbles y variados destinos que tiene este país? ¿Por qué no asistir a alguna organización de voluntarios y pedir un pequeño espacio para colaborar cada semana, de manera que pueda aportar al mundo pero también sentirse mejor? Aquí no hablamos de combatir el conformismo o la cultura de paz que tenemos los ticos, sino de construir con ella, de darle sentido a nuestras vidas en un país con tantas posibilidades.
3. **La corrupción y la extendida cultura del "chorizo".** En este bello país, con grandes potenciales y capacidades, la corrupción se ha ido apoderando poco a poco, pero de manera decidida –como un cáncer de útero-, de todos los estratos de la sociedad. Si usted piensa que la corrupción es un problema de políticos, empresarios y sindicalistas corruptos se equivoca. La corrupción está en nuestras casas, en el barrio, en la televisión, en la Internet, en todo lado. La cultura del chorizo es un problema social, suyo y mío. Y empieza de manera más o menos intensa con **la amigrocracia, ese concepto que ya explicamos en un capítulo anterior**.

Entonces, ¿por qué no empezar a dar el ejemplo, por qué empezar a enseñarles a nuestros hijos mediante los actos cotidianos? Imaginemos ejemplos cotidianos de este problema y llevemos de la mano a nuestros hijos, sobrinos, nietos, hermanos, primos, amigos... y mostrémosles con un solo ejemplo lo que hace el cambio. Por ejemplo, cuando alguien le ofrece una ayuda para brincarse las reglas, como brincarse del lugar en la fila, usted sosténgase donde le corresponde y explique el porqué está ahí.

4. **La doble moral y el berreo.** Si usted es cristiano y profesa valores de amor y respeto, muéstrelo con su ejemplo. No se avanza en esta sociedad si combato un mal atacándolo con el mismo mal. No se puede hablar de amor repartiendo odio. Vaya, entonces, a su congregación y con el ejemplo, muéstrele a un pastor o sacerdote equivocado, lo que usted prefiere hacer ante una enseñanza equivocada. Sea firme en sus posiciones morales y éticas, piense siempre en hacerlas cumplir con su ejemplo, no con su palabra. Lo único válido aquí es hacer lo que se dice. Nada más. En lugar de berrear por lo que está mal, ocúpese por hacerlo bien. Empodérese y lidere a un grupo para construir un pedacito de bien en su entorno. Y sobre todo: **no critique a los demás si usted no es capaz de hacerlo mejor en su espacio de acción, en su trabajo, en lo que usted es bueno; no malgaste su tiempo diciendo que usted es una cosa o la otra, pero demostrando algo diferente**.
5. **Creer que lo extranjero es lo mejor**. Esto es sencillo, simplemente cambie el chip. Lo extranjero no es lo mejor, y los costarricenses podemos hacerlo mejor que ellos cuando queremos. Demuéstrelo. Piense en el extranjero al que usted le tiene más envidia de su entorno de vida y prométase hacerlo mejor. Piense en el invento más interesante realizado por un país extranjero, y propóngase hacer algo más interesante (en

el espacio de sus posibilidades, por supuesto). Aquí es donde la autoestima adquiere relevancia.

6. **La impuntualidad, la informalidad y la ausencia de compromiso**. La última excusa de moda es decir que las presas son las causantes de la impuntualidad. Es cierto que hay crisis vial en Costa Rica, como la han en muchísimos otros lugares del mundo. En pocas ciudades pensaron en el crecimiento vial a este nivel. Pero costarricense, compatriota, PREVEA también la presa. Es simple: si antes duraba 30 minutos y ahora ocupa una hora, entonces calcule su salida una hora antes. Es más, póngale 15 minutos más por imprevistos. Y disfrute también del viaje, relájese, escuche su música, meditación, una audio-lectura, lea si va en tren o en bus, imagine cómo construirá su próximo proyecto, escriba cuentos y poemas en su mente, disfrute de la gente interesante... Y si no quiere ir o no puede, sencillamente diga NO. Nada pasa, es más respetable decir no que decir sí y no llegar o llegar muy tarde. Y empiece a pensar en la bicicleta para moverse, porque la movilidad urbana ya no da para más si usted piensa que puede seguir en carro, contaminando y saturando la red vial. La bicicleta, así como otras formas alternativas, además, mejoran su salud ostensiblemente.

Costa Rica no depende de políticos, ni de sus líderes, depende de usted, de mí, de todos (y todas) los costarricenses en nuestro diario vivir. Este país nunca avanzará si seguimos agarrándonos "como mono en un ventolero" de las mismas actitudes de antaño que nos postraron en los problemas que tenemos ahora. Ni el más excelente gobierno, ni el mejor desempeño de los mejores profesionales que tenemos, pueden modificar lo que nosotros hacemos mal en conjunto como ciudadanos. Se dice que Costa Rica tiene el gobierno que se merece, por eso cuando nosotros seamos mejores ticos, tendremos mejores gobiernos, tendremos mejor país.

Es básicamente simple: Costa Rica somos todos. Pero ante todo: es usted.

# EL AUTOR

ieovanny "Debrús" Jiménez (Geovanny Jiménez S.): Especialista en temas ulturales, educativos y políticos. Reconocido escritor sobre diversos temas y n variados géneros literarios, docente y gestor cultural con más de 20 años de ayectoria. Fundador y Director de Culturacr.net.

la publicado dos novelas, una sobre el héroe indígena Garabito (*Cuando la uerte no alcanza*, Uruk Editores, 2010) y otra ambientada en la cultura Igäbe de la Zona Sur (*Una sola huella*, Atabal Editores, 2012). Además ha ublicado un libro de cuentos (*Eroscopio*, Editorial CulturaCR, 2016, 2da dición) y tiene varios libros en proceso de publicación. *Así somos los ticos Editorial CulturaCR, 2018)* es su primera obra en el género de ensayo. Ha ublicado además en coautoría libros didácticos como *Naveguemos en el niverso de la investigación* y ha sido seleccionador y editor del libro *Las alabras en la encrucijada* (2 volúmenes), antología de obras de nuevos ılentos de la escritura costarricense, y recientemente de la obra *Recuerdos de n personaje*, donde se reúne 20 cuentos de miembros del taller en el género ıntástico. Está por publicar *Arte y oficio de la escritura*, libro didáctico que ecoge conocimiento y experiencia de más de 11 años de impartir un curso-ıller de escritura con Culturacr Proyectos.

'on la Editorial CulturaCR -la que fundó y dirige desde hace 8 años- ha ditado y publicado decenas de obras de nuevos autores costarricenses que rovienen normalmente del "Curso-taller de escritura creativa" que dirige esde hace casi 11 años (2008-2018).

ue difusor cultural de la Editorial Costa Rica y colabora con la difusión de ɔs libros de la Editorial UNED mediante un convenio con la revista digital 'ulturacr.net.

's politólogo graduado de la Universidad de Costa Rica, con estudios de dministración en Universidad San Marcos y Educación con énfasis en Docencia con la Universidad Estatal a Distancia.

'uenta con cientos de ensayos publicados sobre temas políticos, sociales y ulturales. Asimismo, ha publicado cuentos y poemas en gran cantidad de ıedios digitales e impresos. Gestor, productor y promotor de proyectos ulturales en defensa del libro, la literatura y la cultura.

la sido docente en secundaria y universitaria durante más de 23 años. Realiza demás proyectos de turismo cultural desde hace 8 años y asesorías casionales en temas de cultura, comunicación y ciencias políticas.